Handboek Leerprocesbegeleiding

Handboek Leerprocesbegeleiding

Hedzer van der Kooi
José Uitdewilligen e.a.

NUR 841

ISBN 90 77773 01 0

Grafische verzorging: Koninklijke Van Gorcum, Assen

Inhoud

Voorwoord

Je bent begonnen aan de SPH-opleiding, dat betekent dat je jezelf gaat ontwikkelen binnen deze opleiding, en dat je aan de slag gaat met het je eigen maken van nieuwe competenties. Er zullen eisen gesteld worden aan je communicatieve vaardigheden, je zult kritisch naar je eigen (beroepsmatig) handelen moeten kijken, feedback weten te geven en te ontvangen, niet schrikken van feedback maar daar juist leerzaam mee aan de slag moeten gaan. Bovendien moet je verslagen kunnen schrijven en (hardop) kunnen nadenken over je competentieontwikkeling. Om dat allemaal te leren, word je begeleid door de opleiding. De manier waarop je begeleidt wordt noemen we leerprocesbegeleiding.
Leerprocesbegeleiding is een vorm van leren, waarbij je ondersteund wordt in je leerproces. Het vindt plaats in een vaste groep van studenten die regelmatig bij elkaar komen. De groep wordt begeleid door een docent die je leerprocesbegeleider is.
Bij leerprocesbegeleiding staat je eigen leerproces centraal. Studenten stellen vragen aan elkaar en bespreken onderwerpen die hen bezighouden. De onderwerpen kunnen gericht zijn op de eigen ervaringen die jullie hebben, maar er zullen ook onderwerpen besproken worden die te maken hebben met en nodig zijn bij het zicht krijgen op de opleiding en het beroep.
De inhoud van leerprocesbegeleiding kan daarom verschillend zijn, afhankelijk van de onderwerpen die aan de orde komen. Het doel blijft gelijk, namelijk de ontwikkeling van je beroepshouding met de bijbehorende competenties.

Bij leerprocesbegeleiding gaat het om de voortgang in je leerproces. Dat betekent concreet dat je samen met je medestudenten en je leerprocesbegeleider regelmatig bespreekt wat je leert en wat je nog wilt en moet leren om een SPH'er te worden.
Het doel van leerprocesbegeleiding is dat je:

- zicht krijgt op de opleiding;
- zicht krijgt op het beroep;
- zicht krijgt op jezelf.

Leerprocesbegeleiding speelt zich af binnen deze drie componenten. We hopen dat leerprocesbegeleiding je helpt om een professionele SPH'er te worden!

Deelprojectgroep portfolio van het project SPH Competent
Joyce Berentsen, Hogeschool van Amsterdam
Jeroen de Brouwer, Fontys Hogescholen
Ed Klein Goldewijk, Fontys Hogescholen
Hedzer van der Kooi, Christelijke Hogeschool Ede
Mariël van Pelt, Hogeschool van Arnhem en Nijmegen
Rinske Tolsma, Hogeschool Windesheim
José Uitdewilligen, Hogeschool Windesheim

1

Leerprocesbegeleiding begint bij jezelf

1.1 Leerprocesbegeleiding begint bij jezelf

Ontwikkeling en groei

De begrippen 'verandering', 'ontwikkeling' en 'groei' kom je veel tegen in onze maatschappij. Deze begrippen kom je ook tegen in de ontwikkelingen binnen de beroepspraktijk van zorg en welzijn, de opleidingen SPH en zeker bij jezelf.

Groei zichtbaar maken in je portfolio en POP

In de opleiding die je start zal je de groei van jezelf zichtbaar moeten maken in het kader van 'groeien in competenties die belangrijk zijn voor de beroepsbeoefening'. Het werken aan je portfolio, in het bijzonder aan je persoonlijk ontwikkelingsplan is een hulpmiddel bij uitstek hierbij. Uitgangspunt in je portfolio zal onder andere het werken met cliënten, samenwerken in een team en werken aan je eigen professionalisering zijn. (zie ook Het portfolio en POP)

Vraaggestuurd werken aan competenties

In het werken aan je portfolio staan de competenties van het beroep centraal. Jij wordt uitgenodigd om verantwoord aan te geven welke (delen van) competenties je bezit en wat je nog wilt (moet) leren. Je gaat in de opleiding dus vragen stellen over wat en vooral ook hoe je gaat leren. (zie ook opleidingskwalificaties)

Het wordt jouw feestje...

De veranderingen binnen het HBO-onderwijs brengen met zich mee dat rollen, taken en verantwoordelijkheden van jou als student veranderen. Jij bent de spil van je eigen leerproces. Door het werken met een portfolio heb jij de taak om je leerproces duidelijk te maken naar onder anderen je leerprocesbegeleider en medestudenten. Maar vooral ook om zelf inzicht te krijgen in je ontwikkeling naar een SPH'er en daardoor je leerproces te kunnen sturen. Hierdoor krijg je meer zicht op wat je nog moet leren. (zie ook hoofdstuk 6 Begeleiding)

Zelf inzicht krijgen in je leerproces houdt in dat je de volgende vragen kunt beantwoorden[1]:

1 Wat wil en moet ik leren?
2 Hoe wil ik dat gaan leren?
3 Waarom is het nodig dat ik het leer?
4 Met wie en waar wil ik het gaan leren?
5 Wanneer ga ik het leren?
6 Wat kan ik met het geleerde doen (de opbrengst van het leren)?

Een goede voorbereiding

Komen tot een beginnend beroepsbeoefenaar vraagt van je dat je leert vragen te stellen. Vragen die beginnen bij jezelf!

Stilstaan bij de persoonsdimensie van de student (Hoe zie ik mezelf?) is een voorwaarde om vervolgens met behulp van de beroepsdimensie (Wat vraagt het beroep van me?) te komen tot een beroepspersoon (Wie ben ik als hulpverlener?).

Vragen als 'Wat kan ik al ?', 'Wat moet ik nog leren?', 'Hoe ga ik werken aan wat ik moet leren?', 'Hoe laat ik zien wat ik kan?' en 'Wat wil ik worden?', 'Wat past bij mij?', 'Waarin wil/kan ik mij profileren?' moet je kunnen beantwoorden.

Ook benoemen wat je al kan

In het presenteren van jezelf is het noodzakelijk om evenwicht aan te brengen in wat je al kunt (kwaliteiten) en wat je nog wilt leren (uitdagingen). Hierdoor leg je er een basis/fundament voor wat je nog wilt leren.

Een leven lang leren...

Door het werken aan je portfolio neem jij de verantwoordelijkheid op je om vorm te geven aan je (blijvende) ontwikkeling als beroepspersoon.

Na het afronden van de opleiding zet deze ontwikkeling zich voort. Er is immers sprake van een leven lang leren. (zie hoofdstuk 8 Loopbaan)

1 bron: Tineke Kingma, Windesheim.

2

Het Portfolio[1]

In dit tweede hoofdstuk staan we stil bij een aantal vragen die betrekking hebben op je portfolio: Wat is een portfolio eigenlijk? Hoe is een portfolio opgebouwd? Wat is de functie van een portfolio? Waar richt het zich op? Wat is een portfolio-archief? Is dat wat anders dan een portfolio? En waarom eigenlijk een digitaal portfolio en niet gewoon een papieren portfolio? In onderstaande paragrafen geven we antwoord op deze vragen.
Door het werken aan je portfolio neem jij de verantwoordelijkheid op je om vorm te geven aan je (blijvende) ontwikkeling als beroepspersoon.
Na het afronden van de opleiding zet deze ontwikkeling zich voort. Er is immers sprake van een leven lang leren (zie hoofdstuk 8 Loopbaan).

2.1 Wat is een portfolio?

Het portfolio komt uit de wereld van de kunst. Kunstenaars verzamelen exemplaren van eigen werk in grote mappen die portfolio's worden genoemd. Met behulp van die mappen wordt geprobeerd potentiële opdrachtgevers van de kwaliteit van het betreffende werk te overtuigen.
Een portfolio is een verzameling documenten die jij als student bewaart in het kader van je eigen leerproces en je groei als toekomstig beroepskracht. Het is niet iets statisch, maar iets dat steeds weer wordt getoetst aan je leeromgeving en voortdurend in ontwikkeling blijft.

In het onderwijs wordt steeds meer met portfolio's gewerkt. Het portfolio krijgt steeds meer een centrale plek in het onderwijs. Zo ook bij de opleiding SPH. Je neemt hier als student materialen in op die de rol vervullen van illustratie of 'bewijsmateriaal'. Het portfolio bevat een collectie van bewijsmateriaal waarmee je je competenties als toekomstig professional zichtbaar maakt. Je stelt tijdens je opleiding een portfolio samen. Gedurende de gehele opleiding biedt het dan

1 Bron: www.edusite.nl/portfolio

steeds een stand van zaken van je persoonlijke ontwikkeling. Je houdt in dit portfolio het al gevolgde onderwijs bij, het nog te volgen onderwijs, maar ook de daarbinnen al ontwikkelde en de nog te ontwikkelen competenties. Daarmee heeft het portfolio een belangrijke monitorfunctie.
Je verzamelt dus alle dingen die iets over je ontwikkeling en leerproces zeggen. Dat betekent dat je alles bewaart wat je maakt ten behoeve van je studieloopbaan.

2.2 Wat is de functie van een portfolio?

Het portfolio kent verschillende functies:
1 ontwikkelingsgericht;
2 showcase;
3 beoordelingsgericht.

De showcasefunctie van een portfolio komt naar voren bij bijvoorbeeld een sollicitatie. Na het behalen van het diploma kan een portfolio van dienst zijn om aan geven waar je toe in staat bent, wat je competenties zijn als sociaal-pedagogisch hulpverlener en wat je nog wilt leren.
De beoordelingsfunctie kan naar voren komen bijvoorbeeld gedurende de opleiding. Binnen leerprocesbegeleiding maak je duidelijk aan de ander waar je competenties liggen naar aanleiding van het maken van een bepaalde opdracht of een beroepsproduct.
Binnen de opleiding zal het portfolio vooral ontwikkelingsgericht toegepast worden. In een later stadium van de opleiding komt het beoordelingsaspect meer aan de orde.

Je gebruikt het portfolio om inzicht te krijgen in je eigen ontwikkeling en die richting te geven. Door het werken aan een persoonlijke portfolio wordt je gestimuleerd bewust verantwoordelijkheid te nemen voor je eigen ontwikkeling en de daarbij te maken keuzes.
Een portfolio kan ook worden gebruikt in een sollicitatieprocedure of in een toelatingsprocedure van een (vervolg)opleiding. Met het portfolio toon je dan aan een goede kandidaat voor een bepaalde functie of vervolgopleiding te zijn. Met andere woorden, je legt in je portfolio bewijzen van competent gedrag vast.

Het bijhouden van je portfolio heeft een groot voordeel: je houdt bij wat je geleerd hebt.
Je zult merken dat je na een jaar al weer voor een deel vergeten bent wat je in het begin van het jaar hebt gedaan. Als je producten terugziet van een jaar geleden, of reflectieverslagen van het begin van het jaar leest, kan je zien dat er toch wel wat gebeurd is. Je hebt op de stage veel geleerd, je schrijft beter, je blijkt beter te kunnen reflecteren, enzovoort. Dat is heel langzaam veranderd, waardoor je het vaak niet eens gemerkt hebt. Pas als je een oud verslag ziet, zie je ineens wat het verschil is tussen nu en een jaar geleden. Aan de hand van je portfolio zie je

beter wat je het afgelopen jaar geleerd hebt en kan en kun je beter aangeven wat je vervolgens nog wilt en moet leren.

Daarnaast geldt dat de kennis of een ervaring die je hebt opgedaan wegzakt in het geheugen, waardoor je deze niet of nauwelijks meer gebruikt. Je hebt ten tijde van die kennisverwerving of ervaring het nut er nog niet echt van ingezien, of het kwam te vroeg in je persoonlijke leerproces, waardoor toepassing niet echt mogelijk was. Als je dan na een tijdje weer terugziet wat je geleerd of meegemaakt hebt, kan het zijn dat je ineens ziet waarom je dat geleerd of ervaren hebt. En dan kan je er ineens wel wat mee, blijkt het geen verloren informatie te zijn.
Daarnaast zal je in oude reflectieverslagen ook veel lezen over hoe je toen tegen het beroep, jezelf en de wereld aankeek. En dan is het boeiend om te merken dat ook dat veranderd is. Ofwel: je leerproces, je groei, wordt met een portfolio echt zichtbaar.

2.3 Welke opbouw/structuur kent het portfolio?

Het portfolio kent de volgende opbouw/structuur:
1 *Een Curriculum Vitae*
Begeleiders, beoordelaren of andere belangstellenden hebben behoefte aan achtergrondinformatie over jou. In je portfolio's is dan ook een Curriculum Vitae opgenomen waarmee je aangeeft wat je achtergrond is wat betreft vooropleiding, relevante ervaring, persoonlijke gegevens, maar ook hobby's. Met behulp van deze informatie kan degene die het portfolio bekijkt de opgenomen informatie en getoonde ontwikkeling beter in een kader plaatsen.
2 *Een Persoonlijk Opleidingsplan (POP)*
Het Persoonlijk Opleidingsplan is een belangrijk onderdeel van je portfolio. Je geeft in een POP aan hoe je jezelf verder wilt gaan ontwikkelen. Je legt vast wat je wilt leren, waarom en in welke volgorde, waarbij al dan niet verworven competenties het uitgangspunt zijn.
Voor een verdere uitwerking van het Persoonlijk Opleidingsplan, zie hoofdstuk 5.
3 *Leerprocesbegeleiding*
De kwaliteit van de begeleiding van jou bij je groeiproces binnen de opleiding is van groot belang. Dit groeiproces moet gevolgd, bewaakt en gestimuleerd worden, waarbij geldt dat de begeleiding meer of minder sturend kan zijn.
Voor een verdere uitwerking van de leerprocesbegeleiding, zie hoofdstuk 6.
4 *Bewijslast*
Een ander essentieel onderdeel van je portfolio is de bewijslast. Zo kun je denken aan formele bewijzen (diploma's, getuigschriften enzovoort) en niet-formele bewijzen (bijvoorbeeld foto's van werkstukken). Steeds geldt de vraag hoe jij kunt bewijzen dat je bepaalde competenties hebt verworven. Hierbij kun je vragen stellen als: hoe verzamel je bewijzen? Hoe orden je deze bewijzen? Hoe bekijkt je leerprocesbegeleider de bewijslast? Wie beoordeelt de bewijslast?

Voor een verdere uitwerking van deze bewijslast, zie hoofdstuk 7.

Heel belangrijk daarbij is dat je ook de feedback bewaart die gedurende de studie wordt gegeven op producten die je tijdens je opleiding maakt en op je handelen als toekomstig beroepskracht. Maar ook de feedback die je buiten de studie hebt gekregen en hoe je je ontwikkelt.
Tussentijdse evaluaties kunnen signalen opleveren voor stagnaties in je ontwikkeling, maar ook leiden tot de vaststelling dat je al over competenties beschikt en daardoor dus niet verder hoeft te worden geschoold of getraind.
Het gaat dus, met andere woorden, om het verzamelen van allerlei materiaal dat iets laat zien over jou als persoon en/of over het leerproces dat je doorloopt. Denk hierbij aan de volgende materialen:

- eindproducten van projecten of (keuze)modules plus feedback van de docent;
- toetsen plus feedback van de docent;
- stage-ervaringen;
- evaluatieverslagen van de stage;
- reflectieverslagen met feedback van de docent;
- video-opnamen;
- werkervaringen;
- opdrachten uit modules;
- enzovoort.

Het bijhouden van het portfolio is je eigen taak. Dat wil zeggen dat je uiteindelijk zelf bepaalt wat er in het portfolio komt. In het begin zal de opleiding je waarschijnlijk wel richtlijnen geven voor de opbouw van je portfolio.
Hieronder lees je een gedeelte van het portfolio van de SPH-student Marieke[2]
Dit voorbeeld geeft een beeld van hoe je een portfolio kunt gebruiken.

Curriculum Vitae

Naam cursus/ training	Door welke organisatie uitgevoerd/georganiseerd	Doel van de cursus/ training (onderwerp/inhouden)	Certificaat Bewijs van deelname	Kwalificatie
MDGO – SPW	Amersteyn College te Amersfoort	Diploma behalen	Diploma	21
HBO – SPH 1e en 2e leerjaar	Chr. Hogeschool Windesheim te Zwolle	Diploma behalen	Propedeuse en cijferlijst 2e jaar	21
Nederlandse gebarentaal	Chr. Hogeschool Windesheim te Zwolle	Gebarentaal leren en certificaat behalen	Certificaat	21
Congres seksualiteit bij mensen met een verstandelijke beperking	B.E.S Congressen	Nadenken en meedenken over hoe om te gaan met seksualiteit en mensen met verstandelijke beperking	Handtekening van coördinerend begeleidster	15 en 21
Cursus beperkte eerste hulp	Medac opleidingen spoedeisende hulp	Eerste (beperkte) hulp kunnen verlenen bij ongelukken	Certificaat	15 en 21

2 Uit het portfolio van Marieke v.d. Boom
SPH-duaal studente hogeschool Windesheim

Overzicht werkervaring: betaald werk/vrijwilligerswerk/hobby's

Beroepen/functies/ activiteiten	Naam en beschrijving bedrijf, organisatie, werkplek	Welke taken uitgevoerd	Aantal uren per week	Getuigschriften, referenties, werkgevers-verklaringen	Aantal jaren/ wanneer	Kwalificatie
Snuffelstage binnen de Facilitaire dienst	Verpleegtehuis 'Birkhoven' Amersfoort	Linnendienst Keuken Schoonmaak	30 uur	Meridaan College Locatie Amerij (3e jaar) Amersfoort	1 maand schooljaar 1995/1996	
Snuffelstage als klassenassistente	Basisschool 'Het Baken' Nijkerk	De docent ondersteunen in alle werkzaamheden	30 uur	Meridaan College Locatie Amerij (4e jaar) Amersfoort	1 maand schooljaar 1996/1997	
Vrijwilligerswerk als activiteiten-begeleidster	Dagcentrum voor ouderen 'Huize St. Jozef' 'de Binnentuin' Nijkerk	Activiteiten bedenken en uitvoeren met de deelnemers	5 uur	Amersteyn College DGW SPW Niveau 4 Amersfoort	1 jaar lang 5 uur in de week schooljaar 1997/1998	
Stage SPW 2e jaar Begeleidster op woongroep voor meervoudig verstandelijke gehandicapten kinderen	Kwadrant Locatie 's Heerenloo – Lozenoord te Ermelo in Paviljoen Steenbok Groep Kladderkatjes	Alles wat een begeleidster doet op een woongroep	30 uur	Amersteyn College DGW SPW Niveau 4 Amersfoort	1 jaar lang 30 uur in de week schooljaar 1998/1999	3, 4, 9, 11, 14, 15, 19, 21 en 24
Stage SPH 3e jaar Begeleidster op een woongroep voor moeilijk opvoedbare jongeren	Kwadrant Locatie Groot Emaus te Ermelo in Paviljoen Norden op Groep Brem	Alles wat een begeleidster doet op een woongroep	30 uur	Chr. Hogeschool Windeshem te Zwolle SPH	2,5 maand 30 uur in de week schooljaar 2001/2002	3, 4, 9, 11, 14, 15, 19, 21 en 24
Werken in een supermarkt als allround caissière	Boni Supermarkt Nijkerk	Caissière op alle afdelingen	Verschillende van 6 uurtjes tot 30	Boni Supermarkt Nijkerk	5 jaar lang 1997/2002	
Werken als begeleidster in een woonvorm voor jongeren met een verstandelijke beperking	JP van den Bent Stichting Woonvorm 't Werelthuis te Voorthuizen	Alles wat een begeleidster doet op een woongroep	30 uur	JP van den Bent Stichting te Apeldoorn	Vanaf 2-2-2002 tot	1, 2, 3, 4, 5, 6, 7, 8, 9, 10, 11, 12, 14, 15, 19, 20, 21 en 24

Competentie	Manier om te behalen
Feedback kunnen geven, ontvangen en verwerken.	Ik denk dat ik dit kan bereiken door het gewoon te doen. Ik geef niet zo snel negatieve feedback aan iemand. Dit vind ik moeilijk. Ook het ontvangen van negatieve feedback vind ik moeilijk, maar ik merk wel dat als ik er wat meer over nadenk dat ik er later veel aan heb. Ik leer er dus wel van.
Sterke en zwakke punten kunnen opnoemen van jezelf en aangeven aan anderen.	Ik vind het moeilijk om van mezelf te zeggen daar ben ik goed is of juist niet. Ik probeer dit wel te doen. Ik blijf dit ook doen, omdat ik er vaak wel veel van leer als ik de mening van een collega hoor over mijn handelen.
Een eigen, oorspronkelijke mening kunnen formuleren.	Dit vind ik soms wel heel moeilijk. Ik ben bang dat andere mensen mijn mening raar vinden. Maar ik heb het idee als ik mensen wat langer ken dat ik wel mijn eigen mening naar voren durf te brengen. Dus ik denk dat dit te maken heeft met onzekerheid, als ik bij nieuwe mensen ben.
Precies en duidelijk mijn bedoelingen verwoorden.	Dit vind ik vaak moeilijk, omdat ik het wel heel duidelijk in mijn hoofd heb, maar ik kan het er niet altijd duidelijk met de juiste woorden vertellen. Ik denk dat ik dit ook alleen maar kan leren door het vaak te doen.
Met stress kunnen omgaan.	Nou dat kan ik dus niet zo goed, ik word dan heel snel kortaf naar anderen, vooral naar mijn familie, op het werk zullen ze het in het begin nog niet zo merken, pas als de stress echt hoog is, kan ik daar ook kort door de bocht gaan. Ik heb vaak stress om kleine dingen waar iemand anders zich niet eens druk om zou maken. Ik weet niet hoe dit komt, maar probeer om mijn hoofd koel te houden, maar dit lukt heel vaak niet. Ik denk dat ik veel dingen te zwaar zie, en daardoor de stress ontstaat. Ik weet nog niet hoe ik dit verder ga aanpakken. Een goede planning is misschien al het halve werk. Kan het ook bij supervisie bespreekbaar maken, misschien kom ik in een gesprek tot een goede oplossing voor mij.
Voor jezelf opkomen.	Vind ik nog wel steeds heel moeilijk, maar probeer het steeds vaker. Omdat het belangrijk is om voor jezelf op te komen, anders doe je straks dingen die je niet wilt doen. En dat mag niet gebeuren, dus ik moet mijn mond open trekken.
Assertief grenzen aangeven.	Ja dat hangt met heel veel dingen samen in dit hierboven geschreven blok. Als ik mijn grenzen goed en duidelijk aan kan geven gaan een heleboel andere dingen ook vanzelf goed, dus dit is echt een GROOT AANDACHTSPUNT/LEERPUNT.
Mening (ook ongevraagd) geven.	Ja dat doe ik eigenlijk nooit zo snel. Waarom dat weet ik eigenlijk niet. Misschien moet ik het gewoon eens proberen.
Denken, voelen en handelen in balans brengen.	Ja dit is een hele moeilijke, en ik dacht eigenlijk altijd wel dat ik dat deed, maar dat is dus niet zo. Ik zou niet weten hoe ik dit zou kunnen leren. Maar ik denk dat het handig is dat ik er eerst achter kom welke driehoek voor mij het meeste van toepassing is. Als ik daar achter ben kan ik gaan werken aan de bovenste punt want die beheers ik dan nog het minste, en dan hoop ik dan ik al een groot gedeelte in balans ben met mijn denken, voelen en handelen. H / V – D V / H – D D / V – V
V: Voelen D: Denken H: Handelen	

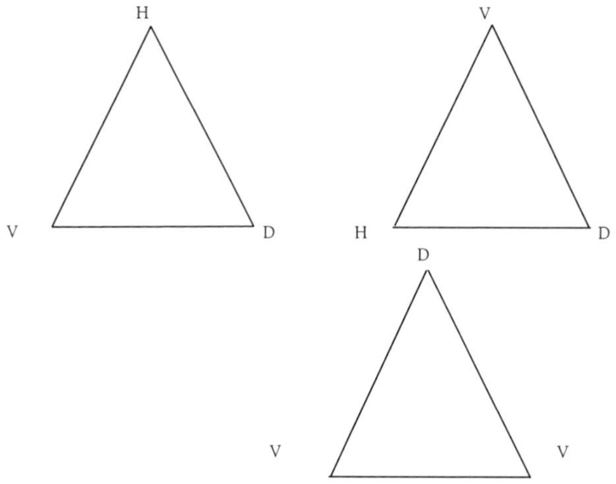

Kwalificatie 3

Met de cliënt afzonderlijk en met de cliënt en cliëntensysteem gezamenlijk te werken aan het ontwikkelen en in stand houden van competenties ten aanzien van:
- Zelfredzaamheid en zelfzorg.
- Het functioneren in de woon- en leefsituatie.
- Het organiseren van de eigen woon- en leefsituatie.
- Het ontwikkelen en onderhouden van betekenisvolle relaties tot anderen.
- Het ontwikkelen van perspectief en zingeving.
- Het vormgeven aan het samenleven in sociale netwerken en aan maatschappelijke participatie.

Competenties

Een SPH'er moet...
- Betekenisvolle relaties kunnen opbouwen en onderhouden.
- Netwerken van de cliënt en de groep planmatig inzetten ten behoeve van de begeleidingsvraag.
- Met behulp van het methodiekmodel de basisaanpak van de leefgroep samenstellen.
- Netwerken van de cliënt planmatig inzetten ter bevordering van de maatschappelijke participatie.
- Zelfstandig gebruik kunnen maken van zelfredzaamheidschalen en gedrag/observatielijsten.
- Kunnen toepassen van de ontwikkelingsschalen bij de individuele cliënt beschrijving.
- Kunnen verantwoorden van beroepscodes en ethische codes.
- Kunnen analyseren wat de individuele waarden en normen van de cliënt en het team zijn.
- Kunnen nadenken over morele dilemma's die een rol spelen in de hulpverlening.

Vertaling van de kwalificatie naar de eigen instelling

Bij mij op het werk hebben we veel contact met de ouders/verzorgers, school, werk/dagbesteding en verenigingen waar onze cliënten bij aan gesloten zijn, zodat we van veel dingen op de hoogte zijn. We proberen zo planmatig met de ondersteuningsvragen om te gaan, zodat we echt vraaggericht kunnen werken. Verder maken we ook wel eens gebruik van zelfredzaamheidschalen en observatielijsten als het nodig mocht zijn. Dit gebeurt wel zelfstandig maar ook wel samen met de orthopedagoog.

Wat beheers ik al binnen deze kwalificatie

Binnen deze kwalificatie beheers ik de competenties wel. In het Werelthuis komen alle punten uit deze kwalificatie aanbod, en als begeleiding stimuleren we de cliënten zoveel mogelijk om die punten zelf te doen. Zo zijn de meeste cliënten bijna zelfstandig op gebeid van zelfverzorging, en kunnen ze ook heel veel dingen die vallen in het gebied van zelfredzaamheid. Vaak hebben ze achteraf controle nodig, om zo te voorkomen dat er niets vergeten is of niet helemaal goed verloopt. Maar dan gaat het vaak over kleine dingen. Maar door van te voren te structureren kunnen ze heel veel zelf.Dit zie je ook terug in de alle daagse dingen die er gebeuren moeten in een woonvoorziening. Daarbij worden de cliënten ook betrokken, zo gaan ze mee boodschappen doen, of maken ze het boodschappenlijstje, maar ook het samenstellen van de menulijst wordt gezamenlijk gedaan. Verder hebben we een corveerooster, waarop elke dag beschreven staat wie wat moet doen. Vaatwasmachine in en uit ruimen, tafel dekken, stofzuigen, planten water geven, prullenbakken legen enzovoort... Als je kijkt naar het punt: 'ontwikkelen en onderhouden van betekenisvolle relaties' dan weet ik van mezelf dat ik daarin veel stimuleer naar de cliënten toe, om eens een keer naar huis te bellen, of om een kopje koffie of thee thuis te gaan drinken, of om iemand bij hun thuis uit te nodigen. Maar ook het sturen van een kaartje naar een zieke oma, of een jarige tante of gewoon zomaar blijf ik stimuleren. Zo ben ik met 2 cliënten bezig geweest om hun netwerk te verbreden, en heb ik voor de een groep gevonden die aangepaste catechisatie geeft, en dat vind ze heel leuk, en voor die andere heb ik een damclub opgezocht waar hij dan mee kan doen aan damwedstrijden. Ook komen er maatschappelijke zaken aanbod.
Zo hebben we vorig jaar een aangepaste stemwijzer ingevuld met de cliënten en zijn we daarna ook echt wezen stemmen samen met de cliënten. Verder staan we stil bij de gebeurtenissen die in de wereld gebeuren, zoals oorlog, armoede, honger en ziekte. We zijn ook druk bezig met het uitzoeken van een goed doel met zijn alle, zodat we daar dan straks met zijn alle maandelijkse bijdrage aankunnen geven.

Wat wil/moet ik nog leren binnen deze kwalificatie

Ik denk dat ik deze kwalificatie wel behaald heb, alle punten die vallen onder deze kwalificatie kan ik goed uitvoeren.

Al gevolgde modules, trainingen of werkervaring die aansluiten bij deze kwalificatie

- Modules die aansluiten bij deze kwalificatie zijn MIID (Methodiek Inleiding Intervisie), MIAN (Methodiek Inleiding Anticiperen), MIRE (Methodiek Inleiding Reflecteren) dit zijn alle 3 inleiding methodiek vakken.
- Maar ook MVIE (Methodiek Vervolg Intervisie), MVZA (Methodiek Vervolg Zelfvertrouwen en Assertiviteit), MVGB (Methodiek Vervolg Basisvaardigheden Gespreksvoering) en MVCA (Methodiek Vervolg Casus Analyse), dit zijn alle ook methodiek vakken die mooi aansluiten bij deze kwalificatie.
- De module MHMB (Methodisch Handelen Methodiek Beschrijving) sluit heel mooi aan bij deze kwalificatie.
- Ik heb een netwerkmodel uitgetekend met een cliënt.

Modules, trainingen of werkervaring die ik nog wil volgen/opdoen om deze kwalificatie te behalen

- Geen.

Bewijslasten

- Zie cijferlijst SPH 1e en 2e jaar.

Kwalificatie 17

Een bijdrage te leveren aan de uitvoering en evaluatie van kwaliteitszorg binnen de organisatie en beheerstaken uit te voeren op financieel, administratief, personeelsplanning- en onderhoudsgebied met behulp van ICT en voor zover direct verbonden met de hulp- en dienstverlening waarvoor hij verantwoordelijk is.

Competenties

Een SPH'er moet...
- Een bijdrage kunnen leveren aan de uitvoering en evaluatie van kwaliteitszorg.
- Weten welke beheerstaken vallen onder de verantwoording van een SPH'er.
- Weten hoe verschillende beheerstaken uitgevoerd moeten worden op het gebied van financiën, administratie, personeelsplanning enzovoort.

Vertaling van de kwalificatie naar de eigen instelling

Binnen de JP van den Bent Stichting zijn we momenteel veel bezig met kwaliteitszorg door middel van een cursus 'vraaggericht werken'. Iedere werknemer volgt de cursus zodat we allemaal mee kunnen denken over wat vraaggericht werken inhoud en hoe je het op de werkvloer kunt gebruiken. We zijn per 1 januari ook overgestapt van het zorgplan naar het ondersteuningsplan voor de cliënten en dit heeft ook weer alles met de kwaliteit te maken die de JP van den Bent Stichting wil bieden aan zijn cliënten. Het grote verschil met het zorgplan is dat het ondersteuningsplan samen met de cliënt wordt geschreven en dat je niet alles precies zo hoeft te gebruiken als er geschreven wordt. Je mag dingen weglaten als het niet aansluit op de vraag van de cliënt, maar je kunt het bijvoorbeeld ook uitbreiden met beeldmateriaal zoals picto's en foto's om het zo duidelijker te maken voor de cliënt die niet kan lezen. Want het is zijn/haar plan, en hij/zij moet dus wel begrijpen wat erin staat. In het Werelthuis zijn wij ook met kwaliteitszorg bezig, momenteel zijn we met HACCP bezig, dit is de hygiënecode. We bekijken of wij als team wel volgens de kwaliteitseisen onze voeding bereiden, bewaren enzovoort... Ook op het gebied van begeleiding zijn er kwaliteitsmetingen, zoals een functioneringsgesprek met je leidinggevende. Dit is een gesprek wat 1 of 2 keer per jaar terug keert. Ook als student/leerling/stagiaire ben je veel met kwaliteitsmetingen in de praktijk bezig. Want samen met je stagebegeleider/werkbegeleider wordt er regelmatig gekeken van hoe ver je bent in je leerproces, en wat je nog moet leren om te kunnen werken naar de maatstaven van de stichting/organisatie waar je werkt/stage loopt. Dit is een stukje kwaliteitsmeting die regelmatig terug komt op het gebied van begeleiding. Als je kijkt naar de beheerstaken binnen het Werelthuis, dan heb ik regelmatig met de financiën te maken omdat je boodschappen moet doen, of iets moet aanschaffen voor de groep. Maar ook administratie hoort bij mijn taken, ik ben verantwoordelijk voor de administratie van de 2 jong volwassene waar ik persoonlijk begeleidster van ben. Dit gaat van een ondersteuningsplan tot een kasboekje van kleine uitgave enzovoort...Daarnaast maak ik regelmatig een rooster voor een maand, dit omdat ik dat graag wilde leren, en het prettig is om iemand achter de hand te hebben die het ook kan.

Wat beheers ik al binnen deze kwalificatie

Ik denk dat ik al veel beheers binnen deze kwalificatie, als je bijvoorbeeld kijkt naar vraaggericht werken, dat doe ik als sinds het begin dat ik in het Werelthuis werk, dat was onze insteek als team, 'wat wil de cliënt?' dus dat beheers ik wel. De moeilijkheid daarbij is wel dat wij veel met ouders te maken hebben, en dat die ook hun wensen hebben voor hun kinderen, en ja die kan wel eens anders zijn dat die van de cliënt zelf, en naar wie ga je dan vraaggericht werken? Dat is soms lastig, maar door het samen te bespreken met ouders, cliënt en persoonlijk begeleider komen we er vaak wel uit.
Ook zijn we sinds 1 januari 2004 overgestapt van het zorgplan naar het ondersteuningsplan, en dit heeft ook met kwaliteitszorg te maken. Het zorgplan idee was verouderd en dit hebben ze vernieuwd en ondersteuningplan genoemd, omdat dit beter past bij het idee van vraaggericht werken. Daarnaast gebeuren er in 't Werelthuis ook kleine veranderingen om de kwaliteit te verbeteren. Zo heb ik samen met een collega, een map gemaakt over medicatie dit naar aanleiding van de medicatieprotocol vanuit de stichting. Deze was uitgebreid en onoverzichtelijk, voor dagelijks gebruik, en door het aan te passen voor de cliënten van 't Werelthuis, is het nu een overzichtelijke map geworden, waar iedereen makkelijk belangrijke dingen kan vinden.
Verder heb ik met de financiën en administratie geen problemen ondervonden, dat ging allemaal vrij vanzelf. Met het maken van roosters voor de personeelsplanning, ben ik al een eind op weg, maar daar zou ik wel graag nog wat meer vaardigheid in willen krijgen, maar dat komt vast en zeker door het regelmatiger te doen.

Wat wil/moet ik nog leren binnen deze kwalificatie

Ik wil zoals ik hierboven al beschreef wat meer vaardigheid en handigheid krijgen in het maken van een rooster. En ik zou wel wat meer willen weten over de budgetten van het Werelthuis, omdat ik eigenlijk heel weinig weet van heb, wat er zoal betaald moet worden in het Werelthuis.

Al gevolgde modules, trainingen of werkervaring die aansluiten bij deze kwalificatie

- Cursus 'vraaggericht werken'
- Keuzemodule Kwaliteitsmanagement en procesbegeleiding

Modules, trainingen of werkervaring die ik nog wil volgen/opdoen om deze kwalificatie te behalen

- Cursus 'roosters maken'
- Verslag maken over budgetten binnen het Werelthuis. Wat wordt er allemaal betaald en door wie?

Bewijslasten

- Handtekening van werkbegeleider dat ik het deelgenomen aan de cursus 'vraaggericht werken'.
- Certificaat van keuzemodule Kwaliteitsmanagement en procesbegeleiding

2.4 Waarop richt zich het portfolio?

Je portfolio richt zich op je leerproces en je ontwikkeling. Je wordt als student steeds meer verantwoordelijk voor je eigen leerproces en bewijsvoering daarvan. Je krijgt tijdens je opleiding in toenemende mate verantwoordelijkheid voor alle fases van het leerproces:
oriënteren, plannen, uitvoeren en evalueren. Je moet je eigen sterke en zwakke kanten in je leerproces kunnen analyseren. Je moet op basis hiervan keuzes maken, leerdoelen formuleren en je eigen leerproces monitoren. Het portfolio ondersteunt deze processen. Doordat het portfolio ontwikkelingsgericht is, is het immers veel meer dan een verzameling geselecteerd werk.
Belangrijke voorwaarde daarbij is dat je je eigenaar voelt van je portfolio. Het is dan ook belangrijk dat je een zekere mate van vrijheid krijgt bij het vormgeven en samenstellen van je eigen portfolio. Én dat je zelf bepaalt wie onderdelen van het portfolio wel en niet mag inzien.
Daarnaast geldt dat je portfolio zich richt op de evaluatie van je groeiproces en debeoordeling daarvan. Met behulp van het bewijsmateriaal in je portfolio toon je aan dat je op onderdelen competent bent op het niveau van de beginnend beroepsbeoefenaar.

2.5 Verschillende versies van portfolio

Een opleiding kan kiezen voor een papieren versie van het portfolio of een digitale versie.
Of je opleiding nou kiest voor een papieren dan wel een digitale portfolio, in beide gevallen geldt in elk geval dat je portfolio een belangrijk instrument gaat worden in het structureren en volgen van je persoonlijke leerproces binnen de opleiding Sociaal Pedagogische Hulpverlening.

Wanneer de student de keuze heeft uit een papieren of een digitale versie van het portfolio speelt de eigen manier van werken van de student een rol. De ene student vindt het heerlijk om achter de computer te zitten, documenten te downloaden en te scannen, een andere student heeft meer houvast aan een zichtbare map met documenten waarin hij daadwerkelijk kan bladeren.
Steeds vaker geven opleidingen de voorkeur aan een elektronische, digitaal portfolio.

Voordelen van een digitaal portfolio kunnen zijn:
- Een digitaal portfolio kan een communicatieomgeving bieden, waarbij op ideale wijze en op verschillende manieren (berichten, mailen, chatten, discussie-items enzovoort) gecommuniceerd kan worden.
- Hierdoor wordt het steeds beter mogelijk je portfolio te gebruiken tijdens intervisiebijeenkomsten waarbij je samen met medestudenten van elkaar leert.
- Bij een digitaal portfolio kunnen alle betrokkenen telkens beschikken over een actuele versie.
- Een digitaal portfolio is makkelijker door te nemen dan een papieren portfolio. In een papieren portfolio moet vaak in bijgeleverde klappers worden gezocht naar het bedoelde materiaal. In een digitaal portfolio wordt verwezen naar een 'link' die alleen hoeft worden aangeklikt.
- Een digitaal portfolio is handig te archiveren en transporteren.
- Door het portfolio te koppelen aan een Persoonlijke Publieke Pagina bouwt de student aan een eigen website (digitaal CV) en de invulling daarvan.
- In het gunstigste geval kan er overal aan gewerkt worden en is het materiaal altijd beschikbaar (probleem bij ICT).
- Teksten en materialen kunnen inhoudelijk bewerkt of anders vormgegeven worden.
- Verwijzingen naar bewijzen, materialen en dergelijke kan vergemakkelijkt worden.
- Het portfolio kan (deels) publiek gemaakt worden, waardoor belangrijke betrokkenen naar hetzelfde portfolio kunnen kijken, any time, any place. (denk ook aan externe begeleiders/deskundigen)
- Iedereen kan op zijn of haar eigen tijd reageren op het portfolio.
- Spullen worden centraal bewaard en (zeg nooit 'nooit') kunnen minder snel kwijtraken. De ICT-afdeling van de hogeschool maakt minimaal één keer per week een reservekopie van de bestanden in Topshare.
- Het overdragen van het portfolio aan een andere begeleider kan door middel van het aanpassen van de rechten (permissies) vrij snel worden geregeld.

Een digitaal portfolio heeft ook nadelen. Enkele van die nadelen zijn:
- De lezers van het portfolio vinden het soms lastig om vanuit de computer de teksten te lezen en gaan dan toch de informatie printen en handmatig van commentaar voorzien.

- Om aan je portfolio te werken heb je altijd een computer nodig, je bent dus vaak gebonden aan een werkplek.
- Er kunnen allerlei technische zaken misgaan, je teksten kun je verkeerd opslaan, er kunnen verbindingsproblemen zijn, door virussen kunnen teksten beschadigen.
- Je moet behoorlijke ict-vaardigheden en materiaal hebben om snel aan je portfolio te kunnen werken, documenten te kunnen scannen, opnames te kunnen invoegen, enzovoort.
- Diverse hogescholen en universiteiten gebruiken verschillende portfoliosystemen. Je kunt je gegevens dus niet altijd meenemen naar een ander onderwijsinstituut.

In het volgende hoofdstuk gaan we bekijken welke kwalificaties en competent gedrag je nodig hebt voor je beroep. Hierbij wordt het verschil tussen de termen kwalificatie en competentie uitgelegd, en wordt beschreven hoe die tot uiting kunnen komen in het werk.

3
Kwalificaties en competenties

3.1 Inleiding

Als student op de SPH moet je dingen weten (kennis) en kunnen (vaardigheden) om je toekomstig werk goed te doen. Kennis en vaardigheden alleen zijn echter niet voldoende. Jouw persoonlijkheid en houding spelen ook een rol. Als je goed bent in je werk dan vinden anderen je competent voor jouw beroep. Met andere woorden: je vertoont competent gedrag ten aanzien van de taken die het beroep van je vraagt.
In dit hoofdstuk vind je uitleg over de begrippen kwalificaties,competenties en competent gedrag. Om te beginnen geeft onderstaand artikel een beschrijving van taken die bij een SPH'er kunnen horen.

Een dag uit het leven van zomaar een groepsleidster

Een dag uit het leven van Wynette Schouten
Het is mooi weer en met enige spijt bedenk ik dat het eigenlijk zonde is om me met dit weer in het kantoortje op te sluiten achter de computer. Eén blik op mijn zogenaamde 'actielijst' zegt echter genoeg, ik moet een persoonsbeeld schrijven, een individueel handelingsplan uitwerken en methodiekstukken aanpassen. Dat belooft dus weer een ontzettende computerdag te worden.
In het trappenhuis op weg naar de eerste verdieping is het rustig. Veel bewoners zullen pas later op de middag arriveren. Ik neem me dan ook voor om zo snel mogelijk aan de slag te gaan, zodat ik niet meteen achter op schema zal lopen als ik wat tijd vrijmaak voor een praatje hier en daar. Contact met de bewoners is voor een mij een niet weg te denken – misschien zelfs wel het belangrijkste – onderdeel van het werk. Ik heb sowieso graag mensen om me heen en vind het heerlijk om zo af en toe eens even lekker bij te kletsen. Contacten hoeven niet enkel en alleen via afspraak (in ons geval een mentor-gesprek) te lopen. Juist de spontane en ongedwongen momenten van samenzijn zijn kostbaar. Dat zijn de momenten waarin je iets opbouwt, waarin je een basis kunt leggen voor verdere hulpverlening. Bovendien moet er ruimte blijven voor spontaan contact, wil je de situatie sfeervol en werkzaam houden. En wat is nu een leuker moment om eens lekker bij te kletsen dan net na een vakantie?
Eenmaal binnen open ik eerst de deur van het kantoortje, om vervolgens door te lopen

naar de keuken voor een pot thee. Op mijn weg terug zet ik de radio aan en open de balkondeur om toch nog zoveel mogelijk van het weer te kunnen genieten. Dat ons kantoortje geen uitzicht biedt op het balkon mag niet hinderen, het gaat om het idee. Net voor ik het kantoortje inloop, werp ik nog even een vlugge blik op het aan- en afwezigheidsbord naast de deur, waarop ik kan zien dat drie bewoners mij al voor zijn geweest – ik ben niet de eerste die binnen is. Alle bewoners hier hebben een eigen zit-/slaapkamer en ondanks een grote woonkamer voor gezamenlijk gebruik, zie je toch dat een ieder zich voornamelijk op z'n eigen kamer terugtrekt – zoals ook vanmiddag het geval is. Gewapend met een pot kaneelthee en de koekjestrommel begin ik met het doornemen van de overdracht, rapportage en post. Als team houden wij er twee mappen op na: een overdrachts- en een rapportagemap. In deze laatste (ook wel rapmap) zit zowel de algemene als de individuele rapportage. Er wordt in het kort vermeld hoe de dienst verlopen is, met hier en daar een verwijzing naar de individuele rapportage, waarin met name bijzonderheden en mentorgesprekken genoemd worden. De overdrachtsmap is wat minder privacygevoelig. Zij bevat informatie over dingen die nog gedaan moeten worden of reeds gedaan zijn, telefoontjes die zijn binnengekomen, afspraken die gemaakt zijn, en ga zo maar door. Dit is dan ook de eerste map die ik doorneem. Zodoende kom ik te weten dat er om 13.30 een nieuwe bewoner komt 'overhuizen'. Na een snelle blik op mijn horloge weet ik dat ik tot die tijd nog net de rapmap door kan nemen, zodat ik weer op de hoogte ben van de laatste ontwikkelingen. Bovendien zit er in mijn postvak nog een verslag van de maatschappelijk werker naar aanleiding van een huisbezoek, wat ik ook nog door moet lezen. Alles bij elkaar blijkt het toch nog om zoveel informatie te gaan, dat ik nog steeds aan het lezen ben als de intercom gaat en ik de nieuwe bewoner kan verwelkomen. De daarop volgende tijd staat voornamelijk in het teken van kennismaking. We drinken samen wat en wisselen ondertussen wat beleefdheden uit. Nadat hij al zijn spullen (en dat zijn er nogal wat) op zijn kamer heeft gezet, geef ik een kleine rondleiding door het gebouw en appartement. Ervoor oppassend dat hij niet meteen overvoerd wordt met informatie, komen voornamelijk de meest noodzakelijke dingen aan bod. Bewoners die nieuw komen, eten de eerste week nog met ons mee, zodat ze langzaam wat kunnen wennen. Daarna worden ze ingedeeld in een kookgroepje met een eigen budget en zijn ze dus zelf verantwoordelijk voor de maaltijden en de daarbij behorende boodschappen. Het is dus niet overbodig dat ik hem er even op wijs waar hij onder andere zijn ontbijt zal kunnen vinden. Daarnaast valt nog te denken aan bijvoorbeeld het tonen van branduitgangen, de zogenaamde vluchtroutes, maar ook aan de wat meer praktische zaken als het uitreiken van de sleutels en een linnengoedpakket. Er moet nog een postvak van zijn naam worden voorzien en datzelfde geldt voor het aan-/afwezigheidsbord, waarop medebewoners af kunnen lezen wie er al of niet aanwezig is. In tegenstelling tot de doorsnee dagindeling hoef ik vanavond gelukkig niet zelf te koken en dus ook geen boodschappen te doen, zodat ik die tijd nog mooi aan mijn verslagen kan wijden. Normaal gesproken kookt iedereen voor zichzelf of voor zijn eigen kookgroepje. Eén keer in de vijf werkweken hebben we echter een bewonersoverleg, waarbij alle bewoners aanwezig zijn. Voorafgaand aan de vergadering eten we gezamenlijk, waarbij er steeds twee bewoners koken. Zij zamelen geld in bij de anderen en doen daar de boodschappen van. In de tijd dat anderen dus met de voorbereiding van het eten bezig zijn, kan ik me nog mooi even terugtrekken op het kantoortje. Het wil vandaag echter maar niet opschieten. Mijn werk wordt nog verschillende keren onderbroken door de nodige contactmomenten met bewoners. De gesprekken variëren van leuke gesprekken over de vakantie, examens en verjaardagen tot praktische momenten als het doornemen van de post met een blinde bewoner, het toelichten van het gebruik van de wasdroger en het observeren en benoemen van wat je ziet gebeuren in de keuken. Het koken schijnt vanavond niet helemaal soepel te verlopen. Als ik de keuken binnenkom valt mijn oog vrijwel meteen op het fornuis, dat onder het gehakt en de macaroni zit. Mmm... drie keer raden wat we gaan eten vanavond... Goed zes uur kunnen we aan tafel. Mijn collega is inmiddels ook gearriveerd, dus we eten met z'n negenen. Je kunt aan iedereen merken dat ze het gezellig vinden zo met z'n allen. Aangezien een aantal bewoners vanavond nog een afspraak heeft, wordt er in onderling overleg besloten om de afwas uit te stellen tot na het bewonersoverleg. Nadat de tafel is afgeruimd en de laptop tevoorschijn is gehaald door de notulist, kan de vergadering beginnen. Eén bewoner zit de vergadering voor en één notuleert. Voor ons een leuk moment om de groepsinteracties eens te observeren.

Na het bewonersoverleg heb ik nog net even een half uurtje voor mondelinge overdracht met mijn collega, waarbij we ook meteen het overleg even de revue laten passeren. Ik stel haar op de hoogte van wat ik allemaal al met de nieuwe bewoner doorgenomen heb, zodat zij daar eventueel op in kan steken zonder in herhaling te vallen. Verder is er niet veel bijzonders gebeurd. Om half negen heb ik een afspraak met één van de bewoners van het kamertrainingscentrum, hier honderd meter verderop.
Zij staat namelijk op het punt om binnen enkele weken te vertrekken. In ons vorige mentorgesprek hebben we samen een plan opgesteld hoe we de laatste weken invulling gaan geven en waar we nog aandacht aan gaan besteden. Voor vanavond staat het naderende afscheid centraal. Hoe neem je afscheid, van wie in het bijzonder en hoe wil je dat vorm gaan geven? Bewoners dragen zelf verantwoordelijkheid voor de invulling van de mentorcontacten. Samen met de bewoner wordt een handelingsplan opgesteld, waarin vermeld staat waaraan gewerkt gaat worden, hoe daar aan gewerkt gaat worden en wanneer het geëvalueerd zal worden. De rol van de mentor (en eventueel collega's) zal daarin voornamelijk begeleidend zijn. In tegenstelling tot de spontane contactmomenten (gesprekjes) met de bewoners tussendoor, zijn mentorgesprekken vrij intensief. Afhankelijk van de situatie, de onderwerpen die aan bod komen, de bewoner en de mentor zelf (je bent immers je eigen instrument) kan er een behoorlijke diepgang in zitten. Het gesprek verloopt beslist niet altijd even soepel en kan soms zelfs een zeer emotionele wending nemen. Hoewel er best wel gesprekken plaatsvinden die gezellig verlopen, zijn er ook de momenten dat je bekaf uit een mentorgesprek komt. Over het algemeen plan ik een uurtje – soms is dat wat korter – maar een andere keer loopt het juist weer wat uit. Zo ook vanavond. Vandaar dat ik uiteindelijk nog snel mijn spullen bij elkaar moet zoeken en op een holletje naar de bus moet, wil ik hem niet missen. Mijn werk voor vandaag zit er weer op. Nu alleen die verslagen nog...

Bron: SPH Tijdschrift voor Sociaal Pedagogische Hulpverlening

3.2 Opleidingskwalificaties Sociaal Pedagogische Hulpverlening

In 1999 werden in opdracht van het Landelijk Opleidingsoverleg Sociaal Pedagogische Hulpverlening de Gezamenlijke Opleidingskwalificaties gepresenteerd door middel van het boekje *De creatieve professional*. Hierin wordt het opleidingsprofiel van de SPH beschreven. Gedurende de opleiding zul je steeds weer in aanraking komen met deze kwalificaties.
De kwalificaties zijn beschreven vanuit de beginnende beroepsbeoefenaar. Hiermee ligt de nadruk op integratie van bekwaamheden op verschillende taakgebieden in de persoon van de beroepsbeoefenaar. De persoon van de hulpverlener is instrument van hulpverlening aan en ten dienste van de cliënt. De verschillende niveaus van de beroepsbeoefening komen in deze hulpverlening samen. Van daaruit vindt verdieping, verbreding en verrijking plaats tijdens de professionele ontwikkeling van de beginnende beroepskracht. Met andere woorden: het geeft de vereisten aan waaraan een afgestudeerde SPH'er moet voldoen.

Als je bovenstaand artikel *Een dag uit het leven van zomaar een groepsleidster* gelezen hebt, zul je gemerkt hebben dat de SPH'er op die ene werkdag verschillende taken uitvoert.
De groepsleidster eet mee op de groep, schrijft een handelingsplan voor een cliënt, observeert cliënten, heeft een overdracht met een collega, houdt een mentorgesprek en is ook nog bezig met methodiekontwikkeling. Door het doen van deze taken bewijst ze dat ze het werk wat bij een SPH'er hoort aankan. Ze laat competent gedrag zien ten aanzien van haar werk, ofwel ze beheerst de competenties zodat ze een bepaalde taak adequaat kan uitvoeren.
Al deze taken of het beroepshandelen van een SPH'er vind je terug in de 23 opleidingskwalificaties Sociaal Pedagogische Hulpverlening (zie bijlage 2).

Een paar voorbeelden:

- Het overleg met haar collega valt onder kwalificatie 11: *Samen te werken met collega's en vertegenwoordigers van andere beroepsgroepen in het kader van de ontwikkeling en uitvoering van hulpverleningsbeleid en hulpverleningsprogramma's.*
- Het schrijven van een individueel handelingsplan kun je terugvinden in kwalificatie 7: *Over de (voortgang van de) hulp- en dienstverlening te rapporteren en deze te evalueren; hulp- en dienstverleningsplannen te evalueren en bij te stellen.*
- Het observeren van de cliënten, het mee-eten en de alledaagse contacten vallen onder kwalificatie 4: *Sociaal-agogische en muzisch-agogische methoden, technieken en middelen te hanteren, in het bijzonder met betrekking tot:*
  - *het tot stand brengen en instandhouden van een optimaal woon-, leef- en opvoedingsklimaat;*
  - *het bevorderen van de cognitieve, emotionele, sociale en motorische ontwikkeling en functioneren;*
  - *het beïnvloeden van het gedrag en het uitbreiden van het gedragsrepertoire;*
  - *het begeleiden van groepen in verschillende stadia van groepsontwikkeling en*

het hanteren van verschillende vormen van groepswerk;
- *het ontwerpen, uitvoeren en evalueren van activiteiten;*
- *probleemsignalering en verwijzing;*
- *het integreren van preventieve activiteiten in verzorging, begeleiding en behandeling;*
- *voorlichting, advies en informatie.*

3.3 Competenties

Competenties bevinden zich op het niveau van 'doen' in het onderstaande model van Miller: in staat zijn taken uit te voeren in praktijksituaties. Daarvoor zijn zowel kennis, vaardigheden als een bepaalde houding of attitude noodzakelijk.

Piramide van Miller

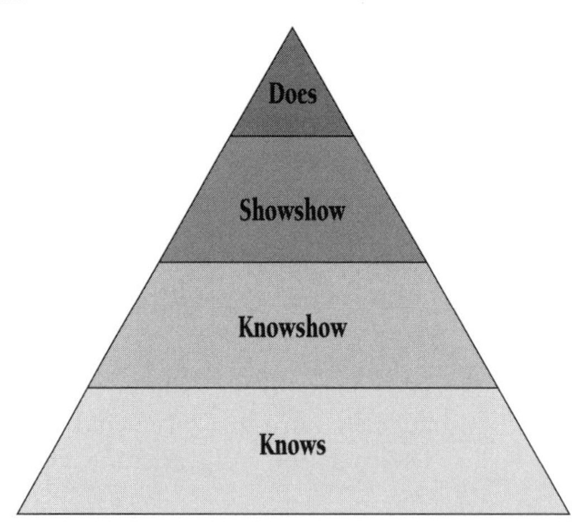

De medische onderwijskundige George Miller maakt een onderscheid in verschillende niveaus van bekwaamheid van artsen

Het meest basale niveau wordt gevormd door de min of meer theoretische kennis waarover een student moet beschikken om zijn toekomstige taken als arts uit te kunnen voeren (Knows). Het volgende niveau is dat studenten ook moeten weten waar ze die kennis kunnen vinden en hoe ze die kennis moeten gebruiken. Ze moeten die kennis op waarde kunnen schatten, en bijvoorbeeld weten hoe haar te gebruiken bij het opstellen van een behandelplan (Knows how). Het derde niveau is dat waarop de student kan laten zien hoe vaardig hij is in het toepassen van die kennis (Shows how). Bijvoorbeeld door het stellen van een diagnose en het opstellen van een behandelplan naar aanleiding van de confrontatie met een simulatiepatiënt. Het hoogste niveau van bekwaamheid heeft de student bereikt wanneer hij kennis en vaardigheden die hij heeft verworven gebruikt wanneer hij zelfstandig taken uitvoert in de hectische en complexe situaties van alledag (Does).[1]

1 Uit handboek elektronisch portfolio in het hoger onderwijs

Voor de SPH-opleiding betekent dat dat je competent gedrag moet vertonen ten aanzien van de opleidingskwalificaties die horen bij een beginnend beroepsbeoefenaar.
Competent gedrag kan alleen geleerd en getoond worden bij het vervullen van taken in praktijk(nabije) situaties. Daarbij wordt er tegelijkertijd een beroep gedaan op de kennis, de vaardigheden en de beroepshouding die je bezit. Dit betekent dat je alleen maar competent gedrag kunt bewijzen in een leeromgeving die geschikt is om je competent gedrag te laten zien. In de opleiding wordt dan ook gesproken over krachtige leeromgevingen.
Leeromgevingen die geschikt zijn om je competent gedrag te laten zien zijn stages, leer/arbeidsovereenkomsten, werken aan onderzoeken, casussen of opdrachten die uit het werkveld komen.
Voor het leren van die taken zijn reflectieve vaardigheden van groot belang. Je zult moeten leren de praktijk- of ervaringskennis die je in de praktijk leert te verbinden met de algemene of theoretische kennis die de opleiding en het werkveld belangrijk vindt. Je leert te leren van je eigen handelen.

3.4 Kritische beroepssituaties, sleutelsituaties en kerncompetenties

Er zijn ook SPH-opleidingen die de kwalificaties hebben ingedeeld en vertaald naar de beroepseisen die voor elke SPH'er gelden. De kwalificaties worden in clusters bij elkaar gezet en zijn dan te omschrijven als kernproblemen van het beroep. De SPH'er komt met deze problemen regelmatig in aanraking, ze zijn kenmerkend voor het beroep en er wordt van de SPH'er een oplossing en een aanpak verwacht.
De SPH-opleidingen die samenwerken binnen SPH-competent hebben voor clusteringen van competenties, kerncompetenties, gekozen. Een aantal opleidingen binnen SPH-competent heeft voor deze indeling gekozen.
Zij formuleren dit als volgt:

Kerncompetenties[3]
Bij het formuleren van de kerncompetenties voor de Sociaal Pedagogisch Hulpverlener hebben we ons laten leiden door de opleidingskwalificaties zoals deze beschreven zijn in 'De creatieve professional'. Kwalificaties komen meest van tijd tot stand door het ontleden van het beroepshandelen in elementen. Competenties daarentegen kenmerken zich juist door het formuleren van het vermogen dat dit handelen mogelijk maakt. Op grond van dit gegeven hebben wij 8 kerncompetenties geformuleerd, die dit vermogen tot beroepsmatig handelen weergeven.

3 Bron: werkgroep assessment project SPH-competent

De 8 kerncompetenties

1 Anticiperen
Onder anticiperen verstaan we het *voorzien en doorzien* van veranderende omstandigheden en/of onverwachte gebeurtenissen, het hierop *inspelen*, het doelgericht *vormgeven* aan het eigen handelen op basis van de nieuwe situatie en het achteraf *verantwoorden* van dit eigen handelen.

2 Communiceren
Onder communiceren verstaan we het vermogen om *mondeling te communiceren, hulpverleningsgesprekken te voeren, schriftelijk te communiceren en situationeel te reageren.*

3 Samenwerken
Onder samenwerken verstaan we het vermogen om *functioneel met anderen samen te werken* en daarmee een *bijdrage te leveren* aan een gemeenschappelijk doel. Het *denken en doen* vanuit gemeenschappelijk belang en *gebruikmaken* van de meerwaarde van de groep/de ander.

4 Methodisch handelen
Onder methodisch handelen verstaan we het vermogen om in het kader van het hulpverlenend handelen, in voortdurende *dialoog* met de cliënt (het cliëntsysteem), op *cyclische* wijze en op basis van systematische reflectie:
- systematisch relevante *informatie te verzamelen*;
- deze informatie te *analyseren*;
- op basis hiervan *hulpverleningsdoelen te formuleren en activiteiten te plannen*;
- binnen het kader van de geformuleerde doelen te *interveniëren*;
- en dit hulpverlenend handelen te evalueren op zijn effecten in relatie tot de gestelde doelen en eventueel *bij te stellen en te waarderen.*

5 Innoveren
Onder innoveren verstaan we het vermogen tot *introduceren, inspireren en initiëren,* vanuit een breed maatschappelijk, politiek en economisch bewustzijn, van nieuwe ideeën, beleid, werkwijzen en toepassingen in het hulpverleningsaanbod en het SPH-eigen beroepsmatig handelen. In de context van de beroepsuitoefening, deze *vorm* te *geven* in het hulpverleningsaanbod, eigen professioneel handelen en de organisatie, en tevens te *implementeren* en *evalueren.*

6 Conceptueel en normatief handelen
Onder conceptueel en normatief handelen verstaan we het vermogen tot *analyseren* en *integreren van* actuele inzichten en (wetenschappelijke) theorieën, die relevant zijn voor het eigen beroepsmatig handelen en het hulpverleningsaanbod en het vermogen tot het onderbouwd *verantwoorden* van het eigen beroepsmatig handelen en het hulpverleningsaanbod.

7 Leidinggeven
Onder leidinggeven verstaan we het vermogen om vanuit algemene (beleids)kaders binnen het hulpverleningsaanbod collega's *aan te sturen, besluiten te nemen* die gevolgen hebben voor zowel cliënten, collega's als de organisatie, het *coachen* van collega's en het verantwoorden van de beleidsuitvoering ten overstaan van anderen.

8 Zelfhantering
Onder zelfhantering verstaan we het vermogen om op een adequate wijze zichzelf te hanteren binnen de gegeven context, door middel van *grenzen aan te geven en te hanteren, keuzes te maken* op basis van inzicht in de eigen (on)mogelijkheden, *zichzelf in stressvolle situaties te hanteren* en te *reflecteren* op deze zelfhantering.

In de bijlage achterin in het boek worden deze kerncompetenties verder uitgewerkt.

Andere opleidingen kennen clusteringen van kwalificaties die ze sleutelsituaties of kritische beroepssituaties noemen.

3.5 De HBO-competenties

Als je in het werkveld aanwezig bent dan merk je dat er niet alleen maar HBO'ers werkzaam zijn. Je collega's kunnen een MBO-opleiding hebben.
De SPH is een opleiding op kwalificatieniveau 5 binnen het sociaal-pedagogisch werk. Kenmerkend daarvoor is dat je met hoge mate van zelfstandigheid moet kunnen werken, je verantwoordelijkheid draagt voor de organisatie van hulp- en dienstverlening en de hulpverlening moet kunnen verbeteren en vernieuwen.
HBO- en MBO-opgeleide werkers (kwalificatieniveau 3 en 4) werken in de beroepspraktijk vaak samen. Jij moet als HBO'er ook voldoen aan beroepsonafhankelijke HBO-vaardigheden.
Er zal van je worden gevraagd om niet alleen te reflecteren op eigen handelen maar ook zul je moeten reflecteren op visies op hulpverlening en van je instelling en het handelen van anderen in multidisciplinair verband. Daarin onderscheid je je van de MBO-opgeleide werkers. Je zult ook het vermogen moeten ontwikkelen om in situaties waar geen of nauwelijks handelingsvoorschriften voorhanden zijn te kunnen functioneren, en een hulp- en dienstverleningsproces te coördineren. Gedurende de opleiding zul je steeds meer groeien en competent gedrag gaan ontwikkelen ten aanzien van onderstaande kenmerken.

Kenmerken van het HBO-niveau vanuit *De creatieve professional*

Het HBO-niveau wordt getypeerd aan de hand van vijf samenhangende kenmerken:
1 complexiteit;
2 verantwoorden en legitimeren van keuzes;

3 ontwikkelen van methodiek en beroep;
4 wetenschappelijk verankeren;
5 leidinggeven en ondersteuning bieden aan medewerkers.

Deze HBO-niveaukenmerken geven het eindniveau aan waarop je bij je diplomering aan zult moeten voldoen. Gedurende je opleiding zul je steeds meer zicht krijgen op deze kenmerken en zullen ze richting geven aan de opbouw van je POP.

Momenteel wordt er ook veel gebruikgemaakt van de 10 HBO-competenties. Deze competenties gelden voor alle HBO-opleidingen in Nederland en geven een algemeen HBO-werk- en denkniveau aan.

Kernkwalificaties HBO Bachelor

1 *Brede professionalisering:* dat wil zeggen dat de student aantoonbaar wordt toegerust met actuele kennis die aansluit bij recente (wetenschappelijke) kennis, inzichten, concepten en onderzoeksresultaten, alsmede aan de in het beroepsprofiel geschetste (internationale) ontwikkelingen in het beroepenveld, met het doel zich te kwalificeren voor:
   - het zelfstandig kunnen uitvoeren van de taken van beginnend beroepsbeoefenaar;
   - het functioneren binnen een arbeidsorganisatie;
   - de verdere professionalisering van de eigen beroepsuitoefening c.q. het beroep. (1)

2 *Multidisciplinaire integratie:* de integratie van kennis, inzichten, houdingen en vaardigheden (van verschillende vakinhoudelijke disciplines), vanuit het perspectief van het beroepsmatig handelen. (2)

3 *(Wetenschappelijke) toepassing:* de toepassing van beschikbare relevante (wetenschappelijke) inzichten, theorieën, concepten en onderzoeksresultaten bij vraagstukken waar afgestudeerden in hun beroepsuitoefening mee geconfronteerd worden. (3)

4 *Transfer en brede inzetbaarheid:* de toepassing van kennis, inzichten en vaardigheden in uiteenlopende beroepssituaties. (4)

5 *Creativiteit en complexiteit in handelen:* vraagstukken in de beroepspraktijk, waarvan het probleem op voorhand niet duidelijk is omschreven en waarop de standaardprocedures niet van toepassing zijn. (5)

6 *Probleemgericht werken:* het zelfstandig definiëren en analyseren van complexe probleemsituaties in de beroepspraktijk op basis van relevante kennis en (theoretische) inzichten, het ontwikkelen en toepassen van zinvolle

(nieuwe) oplossingsstrategieën en het beoordelen van de effectiviteit hiervan. (6)

7 *Methodisch en reflectief denken en handelen:* het stellen van realistische doelen, het plannen c.q. planmatig aanpakken van werkzaamheden en het reflecteren op het (beroepsmatig) handelen, op basis van het verzamelen en analyseren van relevante informatie. (7)

8 *Sociaal-communicatieve bekwaamheid:* het communiceren en samenwerken met anderen in een multiculturele, internationale en/of multidisciplinaire omgeving en het voldoen aan de eisen die het participeren in een arbeidsorganisatie stelt. (8)

9 *Basiskwalificering voor managementfuncties:* het uitvoeren van eenvoudige leidinggevende en managementtaken. (9)

10 *Besef van maatschappelijke verantwoordelijkheid:* begrip en betrokkenheid zijn ontwikkeld met betrekking tot ethische, normatieve en maatschappelijke vragen samenhangend met de toepassing van kennis en de (toekomstige) beroepspraktijk. (10)

In dit hoofdstuk is beschreven wat kwalificaties en competenties zijn. Ze vormen de rode draad in je leerproces en dus in jouw portfolio en POP. Immers je leerproces richt zich op het ontwikkelen van deze kwalificaties en competenties en het portfolio en POP zijn daarvoor geschikte instrumenten. Gericht werken hieraan betekent gericht werken aan je eigen professionalisering. En wat daar allemaal bij komt kijken lees je in hoofdstuk 4.

4 Werken aan je eigen professionalisering

4.1 De student

Het werken aan je portfolio en POP is te allen tijde gerelateerd aan de beroepsopgaven waarvoor je staat (zie paragraaf 3.3: kritische beroepssituaties of sleutelsituaties).

Je kunt dus stellen dat de taakgebieden van de SPH'er:

a hulp- en dienstverlening aan en ten behoeve van cliënten en
b met betrekking tot het werken binnen en vanuit een zorginstelling of hulpverleningsorganisatie
c en werken aan de eigen professionalisering geïntegreerd worden in je eigen portfolio.

Zoals in de inleiding is aangegeven zal jij door je portfolio en in het bijzonder je persoonlijk ontwikkelingsplan jezelf en de ander (medestudenten en studieloopbaanbegeleider) inzicht geven in de ontwikkeling van jouw competenties als beginnend beroepsbeoefenaar.

Kortom: in je portfolio en je POP staat 'werken aan je eigen professionalisering' centraal.

Gemotiveerd werken
Bij het werken aan je portfolio is het van belang dat je verwoord en laat zien dat jij gemotiveerd bent om je te zetten voor de taak waarvoor jij staat. Zonder motivatie is het lastig werken aan je portfolio en POP.

Je eigen leerplan vormgeven
Naast motivatie zal jij zelf ook duidelijk moeten aangeven wat jij zelf wilt in de begeleiding.
Je dient zelf leervragen en -wensen te stellen waarop de leerprocesbegeleider en andere docenten/begeleiders kunnen inspelen.
Jij draagt hierdoor dus zelf de verantwoordelijkheid voor het ontwerpen van je eigen leerplan en dus je leerproces.

Competent werken aan je portfolio
In het werken aan de competentie 'werken aan de eigen professionalisering' is het portfolio en POP de basis.

Stroop je mouw maar op...
Zonder de intentie volledig te willen zijn zul jij groei moeten laten zien op de volgende deelaspecten van de kwalificatie 'werken aan de eigen professionalisering'.

Ik kan/ben:
- reflecteren;
- bij het werken aan portfolio en POP de vaardigheden selecteren, presenteren, registreren en verzamelen;
- verantwoordelijkheid over mijn leerproces dragen en inhoud geven;
- mijn eigen leerplan maken;
- een ander inzicht geven in mijn leer/ontwikkelingsproces;
- (open) communiceren over mijn POP en portfolio;
- grenzen aangeven in mijn communicatie;
- zelfstandig en betekenisgericht leren (leren leren).

Komen tot integratie van persoondimensie en beroepsdimensie tot beroepspersoon:
- groeiend inhoud geven aan zelfonthulling en zelfhandhaving;
- mij uiten: ik verwoord gedachten, gevoelens en wensen die betrekking hebben op de ontwikkeling van mezelf in relatie tot de toekomstige beroepsuitoefening;
- eigen kwaliteiten en uitdagingen kunnen benoemen;
- eigen manier van studeren/ontwikkelen kritisch onderzoeken, evalueren en bijstellen;
- leren van opgedane ervaringen. (onderdeel van reflectie);
- kennis van leerstijlen, kan leerdoelen formuleren,
- groeiende kennis beroepscompetenties (beroepspraktijk);
- adequaat feedback ontvangen en geven;
- kan me leerbaar opstellen;
- ben betrokken, respectvol, betrokken en flexibel;
- ben betrouwbaar;
- bezit vaardigheden in het werken aan een digitaal portfolio.

Bovenstaande vaardigheden zijn een basisvoorwaarde om te kunnen werken aan het ontwikkelen van competenties zoals die beschreven zijn in paragraaf 3.2.

5
Persoonlijk Opleidingsplan (POP)

5.1 Waarom een POP?

In een vraaggestuurde en competentiegerichte opleiding is het de student die aangeeft wat hij, in welke volgorde wil leren en waarom. Niet langer het onderwijsaanbod van de opleiding staat centraal, nee, jij als student bepaalt wat je wilt leren en hoe je dat gaat aanpakken.

Het is vanzelfsprekend dat de opleiding je hierbij ondersteunt en begeleidt. Hoe verder je komt op de opleiding hoe meer de opleiding zal verwachten dat je zelf aangeeft welke vorm van begeleiding en ondersteuning je nodig hebt, je hebt door het werken aan je POP en je portfolio, en de reflecties op je competenties meer zicht op je leerstijl gekregen en de manieren die jou helpen bij de ontwikkeling van die competenties. Het is aan de opleiding om je daarbij te ondersteunen en (eventueel) een aanbod te doen in de vorm van begeleidingsgesprekken, vaardigheidstrainingen, uitleg, enzovoort.

Natuurlijk ga je niet zomaar iets leren: je volgt immers de opleiding SPH en het is de bedoeling dat je aan het eind van de opleiding een beginnend beroepsbeoefenaar SPH bent. Dat wil zeggen een Sociaal Pedagogisch Hulpverlener die beschikt over een aantal competenties (zie ook hoofdstuk 3). Maar de weg naar het diploma toe is niet langer voor alle studenten hetzelfde en wordt niet langer vastgelegd door de opleiding. De weg wordt namelijk uitgestippeld door jou zelf! Je stelt zelf je leertraject samen, afhankelijk van wat je al kunt, weet en wilt en vervolgens voer je dat traject uit. Het Persoonlijk Opleidingsplan is daarbij een heel belangrijk instrument.

5.2 Wat is de relatie tussen een POP en het portfolio?

Kort gezegd is het Persoonlijk Opleidingsplan een belangrijk onderdeel van het portfolio.
Het portfolio is een weergave van wie je bent en welke ontwikkeling je hebt doorgemaakt. Daarom bestaat het portfolio uit een beschrijving van persoonlijke gegevens, werkervaring en opleidingen, kwaliteiten, interesses, leerstijl en

ambities. Ook geeft het portfolio weer welke SPH-competenties je al ontwikkeld hebt en welke niet. Daarvoor verzamel je bewijzen en maak je bij deze bewijzen een analyse.
In het POP ten slotte geef je aan hoe je jezelf verder wilt ontwikkelen. Je toont aan dat je in staat bent om je leertraject te ontwerpen, te managen en toetsbaar te maken. Daarvoor doorloop je een aantal stappen die hieronder worden uitgewerkt. Je stelt jezelf daarbij steeds weer de vragen: wat kan ik, wat wil ik en hoe kom ik daar? Iedere periode werk je aan een aantal leerdoelen en daarmee aan een aantal SPH-competenties/kwalificaties. Aan het eind van een periode toon je op grond van een aantal bewijzen (werkstukken, verslagen, tentamenuitslagen enzovoort) dat je de leerdoelen gerealiseerd hebt. De bewijzen neem je op in het portfolio en je stelt weer een nieuw POP op. Met andere woorden het samenstellen van een portfolio en het opstellen van een POP is een cyclisch proces.

5.3 Waar bestaat een POP uit?

Het Persoonlijk Opleidingsplan bestaat uit de volgende onderdelen:
- Leerdoelen en onderbouwing daarvan (waarom dit leerdoel);
- Relatie met opleidingskwalificaties/competenties;
- Activiteitenplan per leerdoel:
  - wat
  - hoe
  - met wie
  - planning (wanneer en benodigde tijd)
  - [illegible]delen
  - [illegible]
  - [illegible]
  - [illegible]

F[illegible]entraal:

[illegible]teiten, welke interesses heb [illegible]mpetenties heb ik al ontwik-[illegible]

[illegible]mbities of uitdagingen, welke [illegible]elke competenties wil en moet [illegible]voor mij?

[illegible]

Het beantwoord[illegible]dt tot een stappenplan/plan van aanpak. Welke leerdoelen ga j[illegible]oe ga je daar aan werken, welke begeleiding heb je nodig, welke bewijzen g[illegible] je verzamelen, hoeveel tijd heb je nodig enzovoort. Dit stappenplan moet je zo concreet mogelijk maken, want dat geeft je houvast bij de uitvoering. En het maakt het makkelijker om te evalueren en beoordelen, door jezelf, je begeleider(s) en beoordelaars.

4 *Op welke wijze maak ik (tussen)resultaten zichtbaar?*

Werkvormen die je kunnen ondersteunen bij het schrijven van je POP

1 Zelfanalyse

Om te weten wie je bent en waar je op dat moment staat, start je met een zelfanalyse. Onderdelen van deze zelfanalyse kunnen zijn:

- Leerstijlentest (hoeft niet iedere keer opnieuw uitgevoerd te worden, maar bijvoorbeeld in het 1e jaar);
- Wat zijn mijn ambities? (idem);
- Welke kwaliteiten heb ik (aan de hand van overzicht kwaliteiten of kwaliteitenspel) (idem);
- Opleidingservaring en werkervaring (opgenomen en beschreven in portfolio);
- Reeds ontwikkelde competenties: analyse van de eigen competenties. Het gaat hier natuurlijk om de 23 competenties die voor SPH van belang zijn (zie overzicht). Je kunt hierbij als volgt te werk gaan:
  - ga na welke competenties gevraagd worden vanuit de opleiding;
  - ga per competentie na welke kennis, vaardigheden en houdingsaspecten er in de competentieomschrijving zitten;
  - ga vervolgens per onderdeel na: in welke situatie je deze aspecten hebt ingezet, beschrijf deze situatie en geef aan welk concreet resultaat (is bewijs) dat heeft opgeleverd;
  - de bewijzen neem je op in je portfolio en gebruik je voor het aantonen van (onderdelen) van competenties.

Voorbeeld

Competentie: Samenwerken

Handelingsdimensies binnen de competentie

1 Functioneel samenwerken
Met samenwerkingspartners werkbare afspraken maken die een bijdrage leveren aan het te bereiken groepsresultaat waarbij het groepsbelang boven het eigen belang staat. Functioneel informeren en communiceren van eigen standpunten, argumenten, mogelijkheden en de voortgang van het proces.

2 Bijdrage leveren aan een gemeenschappelijk doel
Een bijdrage leveren aan het vaststellen van en het werken aan een gemeenschappelijk doel. De eigen inbreng afstemmen op het gemeenschappelijke doel en bereid zijn daarvoor concessies te doen.

3 Denken en doen vanuit gemeenschappelijk belang
Aansturen op oplossingen die voor alle partijen acceptabel zijn, uitgaande

van het resultaat en rekening houdend met verschillende belangen en behoeften, onderhandelen en conflicten aanpakken zodanig dat recht wordt gedaan aan alle partijen.

4 Gebruik maken van de meerwaarde van de groep/de ander
Vanuit de gemeenschappelijke verantwoordelijkheid van de groep synergie bereiken door gebruik te maken van kennis, inzichten en ideeën van de afzonderlijke groepsleden en een resultaat dat recht doet aan alle partijen (win-win).

Reflectie

De afgelopen vergadering van onze projectgroep heb ik geleid; ik was voorzitter. Ik zag er best tegenop. Vond het spannend. Hoe zou het gaan. Ik zal veel op de voorgrond moeten treden door aan het woord te zijn, beurten te verdelen, letten of iedereen goed aan bod komt en vooral erop letten dat Piet niet weer uitgebreid aan het woord komt en eigenlijk mijn taak van voorzitter dan overneemt. Om vooral dit laatste te voorkomen heb ik me erg goed voorbereid onder andere op de agenda. Ook heb ik bij de start van de vergadering aangegeven wat ik wilde leren in het voorzitten van de vergadering en gevraagd om hun medewerking.
Ook heb ik nog teruggedacht aan het leiden van een bijeenkomst met vrijwilligers die ik eergisteren geleid heb. Wat me toen lukte (iedereen aan het woord laten, samenvatten, tijd in de gaten houden enzovoort) zal me toch ook wel lukken in bovenstaande situatie in de projectgroep.
Terugkijkend kan ik zeggen dat het goed is verlopen. De door mij genoemde taken van de voorzitter heb ik goed kunnen uitvoeren. De ontvangen feedback van mijn projectgroepleden is het volgende: 'Je was een goede voorzitter. Je had steeds een duidelijke agenda die je consequent volgde tijdens de vergadering. Tijdens één vergadering was er een discussiepunt dat nogal gevoelig lag. Deze discussie heb je effectief geleid, je hebt iedereen aan het woord gelaten en goed samengevat. Je liet je eigen mening horen maar drong hem niet op aan de groep. Bovendien ben je uiteindelijk tot een compromisvoorstel gekomen dat de groep heeft aangenomen'.
Terugkijken heb ik geleerd dat ik me weer erg druk heb gemaakt over deze activiteit. Blijkbaar lukt het me niet om mijn negatieve gedachten die ik over mijn prestaties heb los te laten. Ik weet wel dat ik het kan, maar ik moet het eerst weer door anderen bevestigd zien dat ik het ook daadwerkelijk goed doe. Wanneer ga ik nou eens vertrouwen op mezelf. Dit zal wel een doorlopend leerpunt blijven.

Andere vragen die je jezelf kunt stellen om erachter te komen waar jouw leerpunten liggen zijn:
- welke leerpunten komen er naar voren in gesprekken met studiegenoten, begeleiders, reflectietraining, supervisie of intervisie?
- welke aspecten van het werk vind je interessant of lijken je heel interessant? Waar heeft dat mee te maken en wat zegt dat over jezelf?
- welke onderdelen van het werk/de stage gaan je goed af en welke niet en hoe komt dat?

Een andere werkvorm is het STARRT-model. Ook dit model geeft je handvaten om je ervaringen te verwerken in je portfolio.

Hoe werkt het STARRT-model?

Zodra een student aan de hand van een kwalificatie gaat bepalen waar hij aan wil werken, kan hij dit met behulp van het STARRT-model doen.

De letters staan voor de volgende items :

S – **situatie**
T – **taak**
A – **activiteit**
R – **resultaat**
R – **reflectie**
T – **transfer**

De S van situatie

- In welke situatie kan ik er ervaring mee opdoen. Deze situatie beschrijf ik objectief: wanneer, wat, met wie, waarom, enzovoort.

De T van taak

- Welke taak of taken stel ik mijzelf in deze situatie; wat neem ik me voor, wat wordt mijn aandeel, enzovoort? Ook persoonlijke leerdoelen worden hier genoemd (welk doel stel ik mezelf in deze situatie met betrekking tot mijn probleem).

De A van activiteit

- Hoe ga ik het aanpakken: wat ga ik doen en wat heb ik hier voor nodig?

  Vervolgens ga je uitvoeren wat je hebt beschreven om daarna de volgende onderdelen te kunnen invullen.

De R van resultaat

- Is het gelukt: een beschrijving van de inhoud.

De R van reflectie

- Een beschrijving van het proces: wat vind/vond ik ervan? Ging het goed of slecht, was ik tevreden of ontevreden met de werkwijze en het resultaat, wat kan anders of beter, hoe zou ik het nu aanpakken, waarom, wat heb ik geleerd?

Bewijslast neem je op in je portfolio.

De T van transfer

- Noem drie situaties die elk anders zijn maar waarin dezelfde vaardigheid wordt gevraagd. Met andere woorden: in welke situatie kan ik het geleerde ook toepassen?

Voorbeeld van een uitgewerkte STARRT van kwalificatie 19

Naam student : Marijke van Leerzum
Opleiding : SPH 1
Periode : 1

Kwalificatie 19: Kritisch reflecteren op eigen beroepsmatig handelen, houding en motivatie.

Je kunt hierbij denken aan de onderstaande punten (*De creatieve professional*):

- Zicht hebben op eigen motieven, standpunten gevoelens, drijfveren, normen en waarden. (Verwoorden van gewoontes, kwaliteiten, normen en waarden invloed van eigen normen en waarden op handelen kunnen onderkennen intuïtieve voorkeur onderkennen.)
- Zicht hebben op maatschappelijke normen en waarden.
  - Spanning tussen eigen normen en waarden en die van de samenleving/instelling kunnen hanteren.
  - Reflecteren op morele dilemma's.
  - Je eigen visie op hulpverlening en je eigen mensbeeld vergelijken met verschillende mogelijke visies en mensbeelden.
  - Zelfonderzoek uitvoeren naar je eigen houding en motivatie: persoonlijkheid, socialisatie, kwaliteiten.

1 *Situatie*

Mijn opleiding SPH is net gestart. Een belangrijke vaardigheid die hoort bij het eerste jaar is kunnen reflecteren. Kwalificatie 19 uit *De creatieve professional* beschrijft in welke mate ik deze vaardigheid aan het einde van het vierde jaar moet beheersen.
In sleutelsituatie 7 'leerprocesbegeleiding' (lpb) gaat het om de voortgang van mijn leerproces met als doel dat ik hierop ga leren reflecteren.
Ik weet van mezelf dat ik niet zo goed tegen kritiek kan en feedback al snel als kritiek ervaar. Dit lijkt me moeilijk bij lpb omdat ik denk dat je dan over veel persoonlijke onderwerpen moet praten.

2 *Taak*

a Ik ben tijdens alle uren lpb actief aanwezig.
b Ik stel mij nieuwsgierig op en stel vragen.
c Ik ga elk blok minstens 1 probleem inbrengen om te bespreken.

3 *Activiteit*

- Ik praat mee, luister en stel vragen, werk de eventuele opdrachten uit en breng mijn persoonlijke mening in. (ad. a en b)
- Ik breng op ../../03 in dat mij opvalt dat een aantal stamgroepgenoten tot het laatste moment wachten bij het uitwerken van de opdrachten. Ik wil aangeven dat ik zelf altijd graag op tijd klaar wil zijn en nu noodgedwongen een ander tempo moet hanteren. (ad. c)
- Als ik iets als negatieve kritiek ervaar ga ik dit benoemen, bespreken en ombuigen naar iets positiefs. (ad. c)
- Als voorbereiding lees ik een hoofdstuk over gespreksvoering (basiscommunicatie) zodat ik de 'regels' weer paraat heb. (ad. c)

4 *Resultaat*

Het is gelukt om in alle bijeenkomsten mee te praten, te luisteren en vragen te stellen. Alle opdrachten zijn gemaakt en ingeleverd.
In elke bijeenkomst heb ik minstens 1x mijn persoonlijke mening ergens over gegeven. (ad. a en b)
Ik heb op ../../03 het beschreven probleem ingebracht en het is besproken. Doordat ik de regels van de basiscommunicatie goed toepaste verliep het gesprek constructief en konden we er goede afspraken over maken. (ad. c)
De afspraak is geworden dat we bij een groepsopdracht met elkaar een tijdspad maken waar iedereen inbreng in heeft maar zich bij goedkeuring ook aan moet houden.
Ik heb benoemd dat ik me snel aangevallen voel en heb het daarmee bespreekbaar gemaakt. (ad. c)
Ik had me goed voorbereid door het genoemde te lezen. (ad. c)

5 *Reflectie*

Wat mij op is gevallen is dat iets eigenlijk nooit goed of fout is. Bij alle onderwerpen die de revue zijn gepasseerd kon iedereen een mening hebben en dat kon vaak naast elkaar bestaan. (ad. a en b)
Ook vond ik het erg leuk om te ontdekken dat elk mens zijn eigen leerstijl heeft. Ik dacht altijd dat mensen op dezelfde manier leerden. Nu weet ik dat ik bijvoorbeeld graag eerst begrijp wat ik doe terwijl sommige groepsgenoten eerst iets uit willen proberen. (ad. a en b)
De opdrachten vond ik interessant en niet zo moeilijk maar ik ben altijd wel bang dat ik het verkeerd heb begrepen of het niet op tijd af zal hebben. Daarom vond ik het ook zo lastig dat sommige mensen zo lang wachtten met uitwerken van gezamenlijke opdrachten. Hier word ik zenuwachtig van. (ad. a, b en c)
Dit probleem inbrengen vond ik doodeng. Ik was bang dat ze me truttig zouden vinden en schools en ik weet dat als ik me aangevallen voel dat ik dan dicht klap en het gesprek niet af kan maken. Wat ik vooral had geleerd van het over

de basiscommunicatie is dat ik een ik-boodschap moest geven en dat ik daarna ook eerst naar de mening van anderen moest luisteren. Dit lukte gelukkig goed waardoor iedereen z'n zegje kon doen en de sfeer goed bleef. Daarna bleek dat er nog meer waren die wel afspraken wilden over dit punt. Dit is voor mij wel belangrijk omdat ik nog wel andere mensen nodig heb om overtuigend te kunnen zijn. (ad. c)
Wat ik heb geleerd is dat een goede voorbereiding belangrijk is en dat het goed werkt als je niet meteen in de aanval gaat.
Ook werkt het goed om maar gewoon hardop te zeggen dat je het eng vindt omdat mensen je dan toch direct gaan steunen. (ad. c)
In het volgende blok breng ik weer een ander probleem in.

6 *Transfer*

- Tijdens mijn stage afspraken maken over de taakverdeling in een dienst.
- In een werkgroep een afwijkende mening geven en hierover in gesprek komen met anderen.
- Een themaochtend organiseren over persoonlijke beroepsopvattingen.

2 Formuleren leerdoelen

Op grond van de zelfanalyse ga je leerdoelen formuleren voor de komende periode. Deze leerdoelen staan in relatie tot een van de (kern)competenties van SPH.
Formuleer leerdoelen zo concreet en reëel mogelijk: uit de beschrijving van het leerdoel is op te maken wat je wilt leren, waarom en wat dat moet opleveren (=bewijs). Gebruik daarvoor de volgende criteria:
- Het leerdoel staat in relatie tot SPH (zie de competenties).
- Het leerdoel staat in relatie tot jezelf (zie uitkomst zelfanalyse).
- Het leerdoel is actief geformuleerd: je gaat iets doen (dus niet: de komende periode wil ik meer inzicht krijgen in opstellen van een hulpverleningsplan, maar: ik ga die en die literatuur lezen om uit te zoeken welke verschillende hulpverleningsplannen er binnen het SPH-werkveld gebruikt worden en dat vat ik samen in een schema).
- Het leerdoel levert een concreet bewijs op (een product).
- Het leerdoel is SMART (Specifiek, Meetbaar, Actueel, Realistisch en Tijdgebonden; dit is eigenlijk een soort samenvatting van de andere criteria).

3 Opstellen activiteitenplan

Vervolgens ga je na welke activiteiten je gaat uitvoeren om het leerdoel te kunnen realiseren. Dit doe je ook weer zo concreet mogelijk: Je geeft duidelijk aan:
- Wat je gaat doen, met wie, hoeveel tijd je ervoor nodig denkt te hebben, wanneer je het gaat doen, hoe je het gaat aanpakken en welke begeleiding je eventueel nodig hebt. Dus (om bij het voorbeeld te blijven):

- Je gaat in week 10 in de mediatheek uitzoeken welke literatuur er is met betrekking tot het opstellen van hulpverleningsplannen. Hiervoor reserveer je 4 uur.
- Je maakt een schifting in deze literatuur aan de hand van de inhoudsopgaven en achterflap van het boek; ook week 10. (4 uur)
- Je bestudeert de literatuur in week 11 en 12. (30 uur)
- Je maakt een samenvatting en schema in week 13. (8 uur)
- Je legt je bevindingen voor aan de docent methodiek in week 14. (1 uur)
- Je neemt contact op met je stageadres om na te gaan of daar gewerkt wordt met hulpverleningsplannen; ook week 14. (2 uur)
- Je past je samenvatting en schema aan in week 15. (2 uur)
- Je neemt het schema op in het portfolio. (0,5 uur)

Ook hierbij geldt weer: hoe concreter hoe mee houvast je hebt bij de uitvoering en hoe makkelijker het is voor je begeleider om feedback te geven, waarbij je moet zorgen voor een evenwicht tussen concreet zijn en beknopt.

4 Bewijslast

Vervolgens geef je aan welke bewijzen de activiteiten moeten opleveren. Het kan hierbij gaan om: het behalen van een tentamen (tentamenuitslag), een assessment-uitslag, een reflectieverslag, een werkstuk, een schema, een schriftelijke beoordeling van je begeleider uit de praktijk, een video-opname van een rollenspel, een foto van je kleiwerkstuk, enzovoort. Welke bewijzen er allemaal mogelijk zijn, vind je in hoofdstuk 7.

5 Risico's

Dan beschrijf je in je POP welke mogelijke risico's er zijn bij het uitvoeren van je POP. Hierbij kun je denken aan: ziekte van jezelf of de begeleider, literatuur is niet te verkrijgen in de mediatheek, een bepaald onderwijsaanbod wordt in die periode niet gegeven, een vakantie, enzovoort. Je geeft niet alleen aan welke risico's er zijn, maar ook hoe je die zou kunnen ondervangen.

6 Voor akkoord naar begeleider

Als je het concept POP hebt opgesteld leg je dat voor aan je begeleider. Samen bespreken jullie of het plan past bij jouw situatie op dit moment en bij wat je nog wilt en moet leren. Ook gaan jullie na of het plan uitvoerbaar en reëel is. Op grond van dit gesprek pas je het concept eventueel aan en laat je het nogmaals aan de begeleider zien. Pas als de begeleider akkoord is en zijn handtekening heeft gezet kunt je aan de slag met de uitvoering van het plan.

5.5 Welke hulpmiddelen gebruik je bij het werken met een POP?

Bij het opstellen van een POP kun je de volgende hulpmiddelen gebruiken:
- je POP's van de afgelopen periodes;
- de kwalificaties en beschrijvingen daarvan uit *De creatieve professional;*
- informatie gekregen uit: begeleidingsgesprekken, supervisie, intervisie, uit gesprekken met medestudenten;
- het lesaanbod van de opleiding;
- resultaten van assessments;
- analyse werkplek;
- enzovoort.

5.6 Evalueren van je POP

In de meeste gevallen zal je POP beoordeeld worden door de opleiding, hoe dit gebeurt kan per opleiding verschillend zijn.
Een goed uitgangspunt is dat de je leert jezelf te beoordelen. Deze zelfbeoordeling (self-assessment) kan besproken worden met je medestudenten (peer-assessment). Ook zij leren hierdoor kritisch te reflecteren op zichzelf en de ander. Uiteindelijk zal ook je leerprocesbegeleider en misschien zelfs de examencommissie van je opleiding een uitspraak doen over de kwaliteit van je POP.

Beoordelingscriteria voor een POP kunnen zijn:
- Zijn je leerdoelen helder geformuleerd (denk aan het SMART-schema)?
- Is het stappenplan realistisch en haalbaar?
- Bestaat je stappenplan uit verschillende leeractiviteiten zoals theoretische verdieping, experimenteren, reflecteren en praktijkonderdelen?
- Werkt je POP naar het uiteindelijke doel van de opleiding toe: het kunnen aantonen dat je de opleidingkwalificaties integratief beheerst.

5.7 Hoe vaak schrijf je een POP?

Afhankelijk van de soort opleiding (duaal, voltijd of deeltijd) en van de openingsfase verwacht de opleiding dat je een POP schrijft of bijstelt.

Soms maak je een POP voor een langere periode van 1 à 2 jaar. Dit is zeg maar een algemeen Opleidingsplan voor een of 2 studiejaren. Vervolgens leid je daar de stappenplannen voor kortere periodes vanaf. Dat wil zeggen dat je vervolgens de leerdoelen vanuit je POP gaat verdelen over kortere periodes en de POP's voor de kortere periodes werk je wel heel concreet uit, zoals bij het stappenplan is beschreven.
De opleiding kan ook kiezen voor een POP die betrekking heeft op een kortere periode. Als deze periode is afgelopen, maak je op grond van een evaluatie een nieuwe POP voor de volgende periode
Ook kun je starten met een Persoonlijk Actie Plan (wordt ook wel PAP genoemd).

In dit PAP beschrijf je in grote lijnen je plannen en geef je en tijdspad aan. Als je eerste opzet is doorgesproken met je leerprocesbegeleider en eventueel je werkbegeleider werk je je PAP verder uit in een POP en verzamel je de bewijzen van competent gedrag in je portfolio.

5.8 Hoe en door wie word je begeleid bij het werken met een POP?

De verantwoordelijkheid voor het opstellen en uitvoeren van een POP ligt in eerste instantie bij jezelf. Het is jouw leertraject, jij bepaalt wat je wilt leren en hoe je dat gaat aanpakken. Dit alles natuurlijk wel binnen het kader van de SPH-opleiding. Om dat laatste te bewaken en ook om je te helpen in dit, niet altijd zo makkelijke, proces krijg je begeleiding. De verschillende vormen van begeleiding worden behandeld in het volgende hoofdstuk.

6 Begeleiding

In dit hoofdstuk staan we stil bij de vraag hoe jouw leerproces begeleidt kan worden. Welke begeleidingsstructuren worden gebruikt? En welke begeleidingsvormen? En welke personen zijn allemaal betrokken bij jouw loopbaanproces?

6.1 Welke begeleidingsstructuren worden gebruikt?

Al eerder spraken we in dit handboek over jouw persoonlijke leerproces. Hierbij zijn drie deelnemers betrokken: jijzelf, je opleiding en het werkveld.
Je staat als *student* centraal in je eigen leerproces; je bent de 'projectleider' van je eigen ontwikkelproces; je formuleert je eigen leervragen, waarbij je competentieontwikkeling leidraad is. Jouw *opleiding* heeft hierbij tot taak jou te begeleiden en te ondersteunen. Daarnaast kan je leerproces ook ondersteund worden vanuit het *werkveld*. De mate waarin deze 'driehoeksrelatie' van jou, de opleiding en het werkveld een positieve stimulans oplevert, bepaalt mede het succes van je persoonlijke leeromgeving.
Het portfolio is daarbij een belangrijk hulpmiddel. Het is het instrument bij uitstek om jouw *leerprocesbegeleider* te ondersteunen in zijn rol van coach, waar in hij de spil is tussen het werkveld en jou. *Daarnaast stimuleert je leerprocesbegeleider je dat je zelf je taak met betrekking tot ontwikkeling van je leerprocessen oppakt, ontwikkelt en demonstreert.*
Het portfolio speelt een rol bij het volgen, bewaken en stimuleren van jouw ontwikkeling van competenties. Het registreert alle feedback, ondersteunt de bewijsvoering van jouw competentiegroei en maakt jouw ontwikkeling zichtbaar waardoor het als hulpmiddel bij de begeleiding kan dienen.
Als je stage (ook werk in kader van deeltijd – duaal) loopt heeft je werkbegeleider een belangrijke taak bij het opstellen en uitvoeren van het POP. Je werkbegeleider beoordeeld het leren in de praktijk, mede op basis van de realisatie van de leerdoelen uit het POP.
Het is aan jou om het initiatief te nemen en een voorstel te doen, maar samen met je leerprocesbegeleider en/of werkbegeleider wordt je Persoonlijk Opleidingsplan uiteindelijk definitief opgesteld.

6.2 Welke begeleidingsvormen worden gebruikt?

De begeleiding van jouw competentiegroei door je *leerprocesbegeleider* wordt vaak georganiseerd in de vorm van bijeenkomsten leerprocesbegeleiding.
Deze bijeenkomsten bestaan in de regel uit een combinatie van groepsbijeenkomsten en individuele voortgangsgesprekken. Al met al kan een opleiding voor de volgende begeleidingsvormen kiezen:

1 *Leerprocesbijeenkomsten met leerprocesbegeleider*
In de groepsbijeenkomsten leer je samen met je medestudenten inhoudelijk een portfolio samen te stellen. Tevens kijk je gezamenlijk naar de inhoud van het onderwijs in het kader van je groeiproces. Wat de frequentie van de groepsbijeenkomsten wordt er in het begin van je studie bij voorkeur gekozen voor een wekelijkse bijeenkomst van anderhalf uur, dus mét je leerprocesbegeleider. In een latere fase van je studie zal deze contacttijd in het kader van afnemende sturing terug worden gebracht. Dit zal per Hogeschool anders worden ingevuld.

2 *Individuele bijeenkomsten met leerprocesbegeleider*
Tijdens de individuele studievoortganggesprekken bespreek je met je leerprocesbegeleider je individuele groei en ontwikkeling ten aanzien van de competenties.
Individuele bijeenkomsten met je leerprocesbegeleider zullen periodiek aan de orde zijn (zeker niet wekelijks); bij voorkeur op relevante voortgangsmomenten (halfjaarlijks, bij een periode-overgang, enzovoort).

3 *Supervisie*
De doelstelling van supervisie is het aanvullen van een beroepsrol waarbij de persoonlijke aspecten een belangrijke rol spelen[4].

4 *Intervisie*
Daarnaast kun je samen met medestudenten, zonder leerprocesbegeleider, bijeenkomsten houden waarbij je ervaringen uitwisselt op het gebied van je groei binnen de opleiding of je groei in de praktijk.

6.3 Welke personen zijn allemaal betrokken bij jouw leerproces?

De volgende personen zijn betrokken bij de begeleiding van jouw leerproces:

1 *jij zelf*
Je zal je eigen leerproces moeten kunnen plannen, (bij)sturen en bewaken; je zal gerichte, professionele keuzes moeten maken. In het kader van de begeleiding wordt van jou verwacht dat je kan reflecteren op je eigen leerstijl, kwaliteiten, ambities en leerdoelen. Je zult feedback van derden moeten kunnen vertalen naar (nieuwe) leervragen en doelen. Je zult daarbij een open houding moeten

4 Liet de Vries-Geervliet: *Voorbereiden op supervisie.*

hebben waarin je gericht vragen stelt en op relevante momenten begeleiding vraagt.

2 *je leerprocesbegeleider*
De begeleidingvormen van je leerprocesbegeleider zullen er op gericht moeten zijn om een steeds grotere zelfstandigheid bij jou te ontwikkelen. De begeleidingsstijl van de leerprocesbegeleider zal in het begin vooral ondersteunend zijn en zal in de loop van de opleiding meer coachend worden. Doordat je zelf steeds zelfstandiger aan je leerproces zult werken zal de rol van je begeleider ook mee moeten veranderen.

Voor je leerprocesbegeleider geldt dat hij tenminste de volgende taken beheerst in het kader van jouw begeleiding:
- hij kent het studentenstatuut;
- hij heeft zicht op de competenties die door jou verworven moeten worden;
- hij helpt jou leerdoelen te vinden en te formuleren;
- hij bespreekt samen met jou je persoonlijk functioneren, aan de hand van het Persoonlijk Opleidingsplan dat je zelf opstelt;
- hij houdt begeleidingsgesprekken met jou voor en na evaluaties/toetsen, waarbij hij aandacht besteedt aan jouw individuele leerdoelen;
- hij heeft zicht op jouw verworven competenties;
- ten tijde van stage/praktijk checkt je leerprocesbegeleider of de praktijksituatie voldoende aansluit bij jouw leersituatie;
- hij houdt begeleidingsgesprekken waarbij zowel jouw persoonlijk functioneren aan de orde komt als ook de inhoudelijke planning en voortgang van je leerproces;
- hij participeert in jouw beoordelingsgesprekken.

3 *docenten*
Docenten van je opleiding zijn niet direct bij de begeleiding van jouw individuele leerproces betrokken. Toch zullen docenten in toenemende mate open moeten staan voor en rekening moeten houden met jouw persoonlijke kwaliteiten en leerdoelen.

4 *stagebegeleider*
Als je stage loopt of werkt kun je ook begeleiding verwachten vanuit de opleiding. Soms zal de leerprocesbegeleider ook je stagebegeleider zijn, dit is echter niet altijd het geval.
Je stagebegeleider zal in samenspraak met het werkveld zicht krijgen op het laten zien van je competent gedrag in de praktijk. Bij het verwerven van dit gedrag zal jij ondersteunen en uiteindelijk ook beoordelen.

5 *werkbegeleider vanuit je werk of stageplaats*
Voor de werkbegeleider geldt dat hij ten tijde van stage/praktijk tenminste de volgende taken beheerst in het kader van jouw begeleiding:

- begeleiden van jou in je functioneren binnen het team waarin je werkt;
- motiveren en stimuleren van jou als beroepskracht;
- toezien op een systematische aanpak van opdrachten en facilitering hiervan;
- begeleidingsgesprekken houden met jou waarbij zowel je persoonlijk functioneren;
- aan de orde komt als ook de inhoudelijke planning en voortgang van je leerproces (portfolio);
- zicht hebben op de competenties die jij moet behalen;
- participeren bij de vaststelling van jouw POP en in het verlengde daarvan deelnemen aan evaluatiegesprekken.

Toegespitst betekent dit dat het voor de werkbegeleider van belang is bij begeleidingsmomenten en -gesprekken jouw te stimuleren tot en te ondersteunen bij:
- het toepassen van op school geleerde kennis in de praktijk en dit te verwoorden;
- het onderzoeken van verschillen in de uitvoerende methodische vaardigheden (evenals verschillen tussen het op school geleerde en de uitvoering in de praktijk);
- de voorbereiding op het (begeleid oefenen en) uitvoeren van het methodisch handelen;
- de methodische vaardigheid cliëntgericht uit te voeren;
- zijn gevoelens ten aanzien van het handelen te verwoorden;
- reflectie op het beroepsmatig handelen (stimuleren tot evaluatie in concrete bewoordingen), wat leidt tot nadere aandachtspunten (die weer mee kunnen worden genomen in het Persoonlijk Opleidingsplan van de student);
- het bewust bezig zijn met zelfstandig oefenen;
- nadenken over wat in welke situatie gepast is (wat is het juiste moment, in welke situatie wel/niet);
- het handelen te verantwoorden.

De begeleidingvormen van je werkbegeleider zullen er op gericht moeten zijn om een steeds grotere zelfstandigheid bij jou te ontwikkelen. Jouw werkbegeleiding moet een proces zijn van afnemende sturing ofwel een ontwikkelingsgang van overnemen, stimuleren, activeren naar delegeren. De begeleidingsstijl van je werkbegeleider zal in elk geval ondersteunend moeten zijn.

6 *medestudenten*

Je kunt veel leren van je medestudenten. Zij ook van jou. Ervaringen delen geeft met medestudenten nieuwe inzichten en een beeld van eigen sterke en zwakke kanten. Jullie kunnen elkaar feedback geven die vertaald kan worden naar nieuwe leervragen en doelen.
Jouw opleiding dient jullie studenten de mogelijkheid te bieden elkaar feedback te geven en ervaringen met elkaar uit te wisselen. Georganiseerde intervisiebijeenkomsten zijn in dat kader gewenst, al dan niet in aanwezigheid van je leerprocesbegeleider.

Naast begeleiding zal er ook beoordeling plaatsvinden. Hiervoor worden ondermeer de bewijzen die je in het portfolio hebt opgenomen beoordeeld. Het is dus van belang te weten welke 'bewijzen' nodig zijn en op welke wijze deze beoordeeld kunnen worden. Daarover gaat het volgende hoofdstuk.

7 Bewijslast en beoordeling

Omdat er verschillende soorten portfolio zijn kan ook de aard van de beoordeling verschillen.
Een portfolio kan gebruikt worden voor beoordelings- en begeleidingsdoelen.
Als het gaat om het vaststellen van eerder verworden competenties dan wordt het portfolio gebruikt als een portfolio-assessment dat tot doel heeft om te beoordelen welke competenties je al bezit. In deze situatie gaat het vooral om beoordelen en toetsen van de bewijslast die in het portfolio wordt opgenomen

7.1 Competentieontwikkeling

Het portfolio wordt ook gebruikt met als doel om je *competentieontwikkeling*[5] vast te stellen. In deze situatie hebben je begeleiders niet alleen oog voor de door jouw verzamelde bewijslast, maar ook voor de manier waarop jij (en ook zij) tegen jouw ontwikkeling aankijken.
Belangrijk hierbij is of, en hoe je je ontwikkelt, wat jouw leerdoelen zijn en aan welke competenties je gewerkt hebt. Jouw begeleider geeft op je ingeleverde portfolio relevante feedback.
In je portfolio maak je een analyse van je ontwikkeling op competenties. Deze ontwikkeling bespreek je met je begeleider tijdens jullie studievoortganggesprekken.
Het is in de eerste plaats jouw verantwoordelijkheid wat voor materiaal je selecteert.
Het is niet altijd zinvol om alleen je beste werk te selecteren. Juist door het opnemen van eerdere producten maak je je groei, je capaciteiten en je inzet zichtbaar.
Ook eerdere feedback verslagen kunnen hierbij goed opgenomen worden.
In deze vorm van ontwikkelingsgerichte portfolio worden geen beslissingen genomen over toegang tot een volgende fase, je portfolio wordt niet beoordeeld op voldoende/onvoldoende.
Centraal in deze ontwikkelingsgerichte benadering staat dat je je competentieniveau, je groei en je ontwikkeling op de verschillende competentiegebieden zichtbaar maakt.

5 Handboek elektronisch portfolio in het onderwijs.

Je begeleider geeft feedback op de door jouw aangeleverde materialen, je krijgt daardoor zicht op je studievoortgang en de kwaliteit van je onderwijsactiviteiten en de bijgevoegde bewijslast.

7.2 Evaluatie van je competentieontwikkeling

Het is zinvol om terug te kijken en na te gaan hoever je bent in je competentieontwikkeling. Dat wil zeggen: te evalueren en dus te waarderen hoe en met welke kwaliteit je aan je bewijslast gewerkt hebt. Evalueren staat gelijk aan leren van de manier waarop je je competentieontwikkeling hebt aangepakt.

Je competentieontwikkeling kan gevolgd worden via de volgende stappen[6]:

1 *productevaluatie*: hierbij beoordeel je het beroepsproduct volgens die criteria die je opleiding hiervoor heeft vastgesteld. Deze evaluatie kan per fase en per geformuleerd resultaat plaatsvinden.
Per fase kan worden beoordeeld wat het behaalde resultaat, de ontwikkeling en de kwaliteitsverbetering is.
Je kunt hierbij een eigen oordeel over de kwaliteit van je beroepsproduct geven.Wees hierbij zo eerlijk mogelijk. Vraag een oordeel over de kwaliteit van anderen. Zorg voor een onafhankelijk oordeel en geef vervolgens zelf commentaar op de beoordelingen.
Bij de productevaluatie per geformuleerd resultaat evalueert je de resultaten van je plan van aanpak zoals je die in je POP beschreven hebt. Vragen die je hierbij kan stellen zijn of je handelen daadwerkelijk tot de gewenste resultaten hebben geleid en hoe het voortgang van je ontwikkeling gaat.

2 *procesevaluatie:* deze evaluatie heeft betrekking op de vraag hoe jij de verschillende fasen van het werken met zijn POP hebt doorlopen. De student kan hierin zijn eigen bevindingen en die van zijn begeleider, medestudenten enzovoort aangeven.

3 *conclusies*
Na het doorlopen van de product- en procesevaluatie kun je de conclusies in onderlinge samenhang bekijken. Belangrijke vragen hierbij zijn:

- Welke patronen in gedrag herken je?
- Welke patronen werken stimulerend voor je ontwikkeling?
- Welke patronen functioneren als een belemmering voor je ontwikkeling?
- Waar wil je aan gaan werken?
- Wat zij je kritische succesfactoren?
- Wat zijn je kritische faalfactoren?
- Welke vormen van ondersteuning heb je nodig? Denk hierbij aan je eigen netwerk, je medestudenten, je begeleiders, collega's, docenten, enzovoort.

6 Werkboek persoonlijk ontwikkelingsplan door Arets, Heijnen en Ortmans.

- Met wie wil je deze conclusies bespreken?

4 *reflectie:* de reflectie heeft als doel leren en ontwikkelen. Reflectie op bovenstaande items kun je inzetten om je eigen ontwikkeling te sturen. Je kunt omschrijven wat je kan leren van je positieve en/of negatieve ervaringen, en wat die ervaringen betekenen voor de toekomst.

7.3 Portfolio als assessment-instrument

Wil je je portfolio gebruiken als assessment-instrument dan kan je jouw werkportfolio opschonen tot een eindportfolio die beoordeeld wordt.
De door jou verzamelde bewijslast wordt beoordeeld door de examencommissie.
- Geef al in je POP aan van wie je feedback wilt krijgen bij de opleiding.
  Voordat je je bewijslast verzamelt, kun je aan de volgende aandachtspunten denken[7]:
- Zorg voor geldige bewijzen.
- Toon aan dat je voldoende niveau hebt, bekijk de criteria die de opleiding bij de beroepsproducten heeft vastgesteld.
- Zorg dat je bewijsvoering goed in elkaar zit en betrouwbaar overkomt.
- Denk na over de manier waarop en wie je je laat beoordelen.

7.4 Mogelijke algemene criteria met betrekking tot de bewijzen (verschilt wellicht per opleiding)

Authenticiteit: is het bewijs inderdaad van jouw afkomstig
Relevantie: is het bewijs relevant voor SPH-opleiding (bijvoorbeeld een cursus Frans is alleen maar relevant als je stage wilt lopen of wilt gaan werken in een Franstalig gebied)
Datering: van wanneer dateert het bewijs en wat zegt dat over je huidige competenties (bijvoorbeeld voorzitter van de scouting 20 jaar geleden)
Hoeveelheid bewijslast: hoeveel bewijzen moet je leveren

Je opleiding geeft hiervoor criteria aan.
Van belang hierbij is het kader dat het toetsbeleid van de opleiding hierbij stelt, want vanuit het toetsbeleid kunnen de toetscriteria worden herleid die de opleiding aan de bewijslast van het portfolio stelt.
Uit de portfoliobeoordeling kunnen drie verschillende uitkomsten komen:
1 Het portfolio levert voldoende bewijslast op om tot erkenning van competenties over te gaan.
2 Het portfolio levert onvoldoende bewijslast op om direct tot erkenning over te gaan, maar er zijn voldoende aanwijzingen om aan te nemen dat de student bepaalde competenties wel eens zou kunnen bezitten: het bewijs moet geleverd worden door een aanvullend assessment.

7 Met dank aan de toetsgroep van Lev'l.

3 Het portfolio levert onvoldoende bewijslast op om tot erkenning over te gaan: student gaat werken aan het ontwikkelen van de benodigde competenties.

7.5 Bewijzen

Er wordt vaak een onderscheid gemaakt tussen formele en niet formele bewijzen (zie uitleg bijlage 'bewijslast'). Formele bewijzen zijn diploma's en getuigschriften, niet-formele bewijzen zijn bijvoorbeeld foto's van werkstukken, verslagen en dergelijke.
Bewijzen die relevant zijn voor de kwalificaties van de SPH:

- diploma's en getuigschriften van vooropleidingen;
- arbeidscontracten, werkgeversverklaringen, referenties;
- uitslagen van tentamens, assessments, praktijkbeoordelingen, trainingen, peer-assessment;
- stage (stageverslag);
- verslagen en concrete beroepsproducten (bijvoorbeeld behandelplannen, rapportages, methodiekvernieuwingen, projectverslagen en dergelijke);
- bewijzen van deelname en lidmaatschap bijvoorbeeld van clubs, verenigingen en dergelijke;
- informatie uit het portfoliogesprek (criteriumgericht interview);
- video-opname van een rollenspel of situatie uit de praktijk;
- assessment-uitslagen;
- beoordelingen van functioneringsgesprekken;
- onderzoeksopdracht;
- literatuurverantwoording;
- deelnamebewijs workshop, trainingen, studiedagen.

Tot nu toe hebben we het steeds gehad over het portfolio waaraan je *tijdens* je opleiding werkt. Maar het portfolio kun je ook *na* de opleiding nog gebruiken. Zo kun je onderdelen van het portfolio gebruiken bij een sollicitatie. Bovendien ontwikkel je je ook in het werk verder door ervaring, maar ook door bijvoorbeeld aanvullende cursussen die georganiseerd worden in het werkveld. Het gebruik van het portfolio tijdens je verdere loopbaan wordt daarom in het volgende hoofdstuk uitgebreid besproken.

8
Loopbaan[8]

8.1 Loopbaanontwikkeling

Een leven lang leren

Na je studie SPH ga je ofwel een vervolgstudie volgen ofwel werken. Of een combinatie van beiden. Als je gaat werken betekent dit echter nog niet dat er geen verdere (beroeps)ontwikkelingen meer plaatsvinden.'Life long learning' is en blijft uitgangspunt voor je verdere toekomstige loopbaan.
Je krijgt als afgestudeerde SPH'er na je studie als werknemer een steeds groter wordende verantwoordelijkheid voor je eigen loopbaanontwikkeling.
Doordat je tijdens je opleiding al leert om zelf verantwoordelijkheid te nemen, eigen keuzes te maken en je eigen leerproces actief te sturen ben je beter toegerust op de eisen die het werkveld aan je gaat stellen.

Deze nieuwe kijk op loopbaanontwikkeling heeft te maken met veranderingen in de samenleving als geheel, maar zeker ook met veranderingen in werk en arbeidsmarkt. In het verleden voelde de werkgever zich nog verantwoordelijk voor de loopbaan van de werknemer, waarbij er als het ware sprake was van 'loopbaanbezit'. Dat loopbaanbezit krijgt een nieuwe betekenis, omdat organisaties niet langer in staat zullen zijn om de loopbaan van een persoon te plannen. Te veel onzekerheid over de toekomstige behoeften van de organisatie zou het steeds moeilijker maken om mensen te sturen in te ondernemen loopbaanstappen. Deze veranderingen doen meer een beroep op jou als werknemer als zelfsturend individu, waarbij je zelf verantwoording neemt voor je eigen loopbaan.
Bovendien gaat de ontwikkeling van de technologie en kennis zo hard dat de kennis die je leert op de opleiding al snel verouderd kan zijn. Je moet dus in je opleiding leren om nieuwe kennis snel op te kunnen pakken en in te kunnen passen in je werkwijze. Dit vraagt een actieve houding ten opzichte van verdere ontwikkeling van je competenties.

8 Bron: *Loopbaangerichte competenties* van Marinka Kuijpers.

Ook is de tendens dat de verantwoordelijkheden steeds dichter bij de werknemers komen te liggen, er wordt steeds vaker gewerkt met resultaatverantwoordelijke teams en projectgroepen. Ook deze ontwikkeling vraagt dezelfde actieve opstelling van de werknemer.
Deze actieve instelling leer je door middel van het managen van je eigen competenties in je POP. Doordat je in je opleiding al leert verantwoordelijkheid te nemen voor je eigen leerproces is de overgang naar een werkomgeving waar dit gedrag steeds meer gevraagd wordt niet meer zo moeilijk. Je bent het immers al gewend.

Wat is loopbaanontwikkeling?
Loopbaanontwikkeling is geen incidentele keuze voor een beroep of functie. Loopbaanontwikkeling is een doorlopend proces om doelen in je werk te verwerkelijken, binnen de mogelijkheden van je werkomgeving.

Praktijkvoorbeeld belang van professionalisering in het kader van portfolio

Tijdens de opleiding SPH experimenteren mensen met verschillende doelgroepen als toekomstig werkveld. Mijn medestudenten deden hun jaarstage in de gehandicaptenzorg, een p.i. of een medisch kinderdagverblijf. Zelf koos ik voor de richting psychiatrie, en tijdens de terugkomdagen merkte je dat in elk werkveld totaal verschillende bezigheden van een stagiair werden gevraagd, maar ook dat er in al die bezigheden overeenkomsten waren: de kerncompetenties van de SPH'er. Na mijn studie ging ik werken in een RIBW, en in het samenwerken met collega's uit andere beroepsachtergronden richtte ik me steeds meer naar de gangbare manier van hulpverlenen zoals dat door de instelling en mijn functieomschrijving voorgeschreven werd. De valkuil waar ik in liep was die van 'identiteitsverwarring': ben ik een ambulant woonbegeleider of een SPH'er in de functie van woonbegeleider? Ik merkte de noodzaak om me vanuit het perspectief van het SPH-specifieke te bezinnen en te heroriënteren. Niet versmelten met de gangbare werkwijze, maar problematiek en situaties bekijken vanuit mijn SPH-competenties. Dat is vrij lastig, omdat je de binding met vakgenoten niet direct hebt. Collega's die ook wel uit de agogische hoek komen, hebben toch vaak een oudere opleiding en identificeren zich in de praktijk vaak ook met hun functie. Dat heeft als gevolg dat de meerwaarde van het 'vanuit verschillende specifieke perspectieven naar een casus kijken' wat verloren gaat, en de instellingscultuur de boventoon gaat voeren. In die zoektocht naar voeding vanuit SPH-perspectief bleek de vaardigheid van 'reflecteren' noodzaak. Terugkijken en bezinnen op een casus en mijn handelen en vervolgens zoeken naar welke bijdrage ik als SPH'er kan leveren. Dat reflecteren en vervolgens voornemens maken voor ontwikkeling in de toekomst is een belangrijk onderdeel van portfolio. Het maakt je zelf verantwoordelijk voor je leerproces, en laat je vanuit de praktijk zien waar nog aan gewerkt moet worden. Dat procesmatige en op

ontwikkeling gericht zijn is in mijn ogen erg belangrijk om steeds voeding te kunnen krijgen in het hulpverlenen. Je wilt jezelf sturen en je manier van hulpverlenen verdiepen in het SPH-specifieke.
Iets breder gezien is het belangrijk als SPH niet te versmelten met alle andere (competente!) collega-beroepsgroepen. In mijn situatie zijn verpleegkundigen en maatschappelijk werkers ook bijzonder competent voor het begeleiden van mijn cliënten. Maar juist in het onderscheiden is het mogelijk elkaar aan te vullen. Een sterke beroepsidentiteit is voorwaarde voor profilering: niet het feit dat ik geen medicatieregistratie heb maakt mij SPH'er, maar een aantal competenties als 'groepsgericht', 'systeem- en contactgericht', 'uitgaande van de gezonde kant van de cliënt' en 'creatief' maakt mij een SPH'er. Professionalisering betekent voor mij dan ook: me verdiepen in SPH-specifieke literatuur, zoeken naar welke bijdrage ik vanuit het SPH-perspectief kan leveren, vakgenoten ontmoeten en versterkend bezig zijn en vooral mijzelf blijven bezinnen op wat ik doe. Bezinnen, handelen, terugkijken en bijstellen van handelingen.
In mijn begeleiding aan een (SPH)stagiair in onze instelling probeer ik het belang van professionalisering uit te leggen. Ik gebruik daarbij de vergelijking van een auto. Tijdens het vormen van SPH-competenties gieten praktijkbegeleiders, supervisoren en docenten steeds benzine in de tank. De student consumeert en wordt gevoed: hij draait er lekker op, en lijkt een zelfstandige werker. Aan het eind van de stage echter, moet de student zichzelf kunnen bijtanken: hij moet de juiste benzine zelfstandig in zijn eigen auto gieten, en zichzelf rijdend houden. Dat proces van zichzelf blijven voeden is professionaliseren, en noodzaak om in de praktijk te blijven ontwikkelen.
Natuurlijk zijn er hulpmiddelen en kun je elkaar helpen te professionaliseren. Sommige instellingen hebben vakgroepen, waarin uit multidisciplinaire team instellingsbreed verschillende groepen worden samengesteld op basis van gelijke beroepsachtergrond om zo samen het beroepsspecifieke vast te houden en te ontwikkelen. Werkgevers hebben een pot geld voor studie, cursussen en congressen. Iedere beroepsgroep heeft zijn beroepsvereniging die zorgt voor versterking van identiteit en profilering van het vak binnen de zorg. De Nederlandse Vereniging voor Sociaal Pedagogische Hulpverleners draait functiegroepen om SPH'ers uit de verschillende werkvelden bij elkaar te brengen om met elkaar het SPH-specifieke in hun werkveld te versterken.
Ik geloof in het specifieke belang van mijn vak, en ben blij dat studenten van nu leren om zichzelf te blijven ontwikkelen en professionaliseren. Dat is van groot belang voor het werkveld, waar steeds meer verwarring ontstaat over (beroepsspecifiek) 'aanbod' in de discussie rondom het 'vraaggericht werken'.

Hanneke van Wijgerden-Snoek, oud-studente Chr. Hogeschool Ede.

8.2 Competenties

Welke competenties zijn bij jouw loopbaanontwikkeling nodig?
Er zijn drie soorten competenties die te maken hebben met je loopbaanontwikkeling na je studie:

1 *werkcompetenties*: dit zijn alle competenties om werk te kunnen (blijven) uitvoeren.
2 *leercompetenties*: dit zijn alle competenties om nieuwe 'werkcompetenties' te ontwikkelen.
3 *loopbaangerichte competenties*: dit zijn alle competenties om 'werkcompetenties' en ' leercompetenties' te managen; met andere woorden weten hoe je je loopbaan moet inrichten.

Die loopbaangerichte competenties zijn weer te onderscheiden in de volgende competenties:

1 zelfreflectie
2 werkexploratie
3 oopbaansturing
4 zelfprofilering

Zelfreflectie en loopbaansturing zijn meer gericht op interactie met jezelf (een analyse van jezelf binnen je loopbaan); werkexploratie en zelfprofilering zijn meer gericht op interactie met je omgeving (sturing geven aan je eigen loopbaan).

8.3 Wat houden deze specifieke loopbaangerichte competenties in?

Zelfreflectie

Zelfreflectie betekent dat je je capaciteiten die van belang zijn voor je loopbaan én je motivatie eigenlijk voortdurend analyseert. Kun je je eigen aanwezige werkcompetenties en persoonlijke waarden inschatten? Deze zelfreflectie levert dus kennis op over je eigen motivatie en je capaciteiten.
Reflecteren op je capaciteiten kan algemeen zijn, bijvoorbeeld betrekking hebben op je sterke en zwakke kanten. Het kan ook meer specifiek zijn, betrekking hebben op een bepaalde situatie zoals je huidige werk, een leerervaring of feedback van anderen.
Je kunt ook nog onderscheid maken tussen 'capaciteitenreflectie' (Wat zijn mijn sterke en zwakke kanten?) en 'motievenreflectie' (Waarom werk ik? Wat maakt mij enthousiast?).

Werkexploratie

Werkexploratie betekent dat je het werk zelf onderzoekt maar ook de mobiliteit in je loopbaan. Het verwerven van informatie over je werk wordt essentieel geacht om een loopbaan te kunnen ontwikkelen. Deze informatieverwerving kan uiteraard op verschillende niveaus plaatsvinden: op macroniveau (arbeidsmarkt), mesoniveau (organisatie of functie) en microniveau (werkzaamheden). Hierbij stel je jezelf vragen als: Wat houdt het werk precies in? Wat zijn mijn mogelijkheden op de arbeidsmarkt? Wat kan ik met deze opleiding?

Loopbaansturing
Loopbaansturing betekent dat je je leer- en werkproces stuurt. Het gaat hierbij om het managen van je leercompetenties, en het plannen en inzetten van werkcompetenties voor je loopbaan. Loopbaansturing betekent dat je richting geeft aan je loopbaan op basis van zelfreflectie en werkexploratie. Dat betekent plannen en keuzes maken in je loopbaan, maar ook invloed hebben op je eigen leer- en werkproces. Het gaat hierbij om vragen als: Wat denk ik in de toekomst te gaan doen?

Zelfprofilering
Zelfprofilering betekent een presentatie van jezelf op de interne en externe arbeidsmarkt, gericht op je loopbaanontwikkeling. Je profileert je werkcompetenties en onderhandelt met relevante personen over de ontwikkeling van je werkcompetenties. Ofwel: je bespreekt je loopbaan met voor jou relevante personen. Zelfprofilering levert feedback op die je gebruikt voor zelfreflectie en levert informatie over werk op die je uiteindelijk weer kan gebruiken voor werkexploratie.

Daarnaast is het voor jou als afgestudeerd SPH'er van belang contacten op te bouwen en te onderhouden op de interne maar ook op de externe arbeidsmarkt, gericht op je eigen loopbaanontwikkeling. Je zou hier kunnen spreken van 'netwerken'.

Het portfolio kan dus bijdragen aan de ontwikkeling van ieder individu, in opleiding, stage en de gehele loopbaan. Want, laten we eerlijk zijn, een mens is nooit te oud om te leren!

Bijlage 1

Voorbeeld van een Persoonlijk Opleidingsplan (POP)

Leerdoelen
Voor de komende periode, van ...... t/m ...., heb ik mezelf de volgende leerdoelen gesteld: ....

Deze staan in relatie tot de volgende competenties/kwalificaties:

Activiteitenplan
Ik ga als volgt aan deze leerdoelen werken:
Wat
Hoe
Met wie
Begeleiding
Planning
Resultaat

Bewijzen
Dit levert de volgende resultaten (bewijzen) op die ik opneem in mijn portfolio.
....

Risico's
Aan de uitvoering van mijn POP zitten de volgende risico's:
....

Die zou ik als volgt kunnen oplossen:

....

....

Voor akkoord

Datum: ....

Handtekening student ....

Handtekening leerprocesbegeleider ....

Bijlage 2

Opleidingskwalificaties en kerncompetenties [9]

De landelijke opleidingskwalificaties SPH

Opgedeeld in drie segmenten:
a hulp- en dienstverlening aan en ten behoeve van cliënten;
b werken binnen een zorginstelling of hulpverleningsorganisatie;
c werken aan professionalisering.

a hulp- en dienstverlening aan en ten behoeve van cliënten

De beginnende beroepskracht demonstreert dat hij in staat is:

1. zelfstandig en samen met cliënten, andere hulpverleners en/of direct bij cliënten betrokkenen de woon- en leefsituatie te verkennen en te analyseren, samen te komen tot het formuleren of herformuleren van hulpvragen, het vaststellen van hulpverleningsdoelen en hulpverleningsaanbod en het vormgeven van hulp- en dienstverleningsplannen;
2. programma's voor hulp- en dienstverlening te ontwerpen in situaties die gekenmerkt worden door complexe problematiek en hulpvragen, afgestemd op de behoeften en mogelijkheden van de cliënt;
3. met een cliënt en met een cliënt en cliëntsysteem gezamenlijk te werken aan het ontwikkelen en in stand houden van competenties ten aanzien van:
   - zelfredzaamheid en zelfzorg;
   - het functioneren in de woon- en leefsituatie;
   - het organiseren van de eigen woon- en leefsituatie;
   - het ontwikkelen en onderhouden van betekenisvolle relaties tot anderen;
   - het ontwikkelen van perspectief en zingeving;
   - het vormgeven aan het samenleven in sociale netwerken en aan maatschappelijke participatie;

9 Werkgroep assessment project SPH-competent

4 in het kader van de hulp- en dienstverlening aan cliënt en cliëntsysteem, sociaal-agogische en muzisch-agogische methoden, technieken en middelen te hanteren in het bijzonder:
   - het tot stand brengen en instandhouden van een optimaal woon-, leef- en opvoedingsklimaat;
   - het bevorderen van cognitieve, emotionele, sociale en motorische ontwikkeling en functioneren;
   - het beïnvloeden van het gedrag en het uitbreiden van het gedragsrepertoire;
   - het begeleiden van groepen in verschillende stadia van groepsontwikkeling en het hanteren van verschillende vormen van groepswerk;
   - het ontwerpen, uitvoeren en evalueren van activiteiten;
   - probleemsignalering en verwijzing;
   - voorlichting, advies en informatie;

5 sociale ondersteuning voor de cliënt te creëren of te versterken door sociale systemen en maatschappelijke instellingen die voor de cliënt in de woon- en leefsituatie belangrijk zijn, op methodische wijze te beïnvloeden;

6 de belangen te behartigen van cliënt en cliëntsysteem of hen daarin ondersteunen door met hen of namens hen op te treden naar derden binnen de instelling of binnen de samenleving;

7 over (de voortgang van) de hulp- en dienstverlening te rapporteren en deze te evalueren; hulp- en dienstverleningsplannen te evalueren en bij te stellen;

8 in situaties van hulp- en dienstverlening keuzen van in te zetten methoden en middelen te formuleren, te onderbouwen en verantwoorden met gebruikmaking van theoretische, ethische en juridische kaders;

9 het eigen beroepshandelen te verantwoorden ten overstaan van cliënten en/of hun vertegenwoordigers, de eigen hulpverleningsorganisatie en/of andere opdrachtgevers en/of de samenleving;

b werken binnen een zorginstelling of hulpverleningsorganisatie

De beginnende beroepskracht demonstreert dat hij in staat is:

10 zich als sociaal-pedagogisch hulpverlener te profileren en te positioneren in een organisatie of samenwerkingsverband en de eigen bijdrage als sociaal-pedagogisch hulpverlener te definiëren en legitimeren;

11 samen te werken met collega's en vertegenwoordigers van andere beroepsgroepen in het kader van de ontwikkeling en uitvoering van hulpverleningsbeleid en hulpverleningsprogramma's;

12 condities te bewerkstelligen binnen de werkorganisatie, die een verantwoorde uitvoering van de hulp- en dienstverlening mogelijk maken;

13 leiding en begeleiding te geven aan collega's, andere beroepsbeoefenaren, vrijwilligers en mantelzorgers in het kader van de hulp- en dienstverlening aan cliënten;

14 doelgroepen te signaleren, die zich in problematische leefsituaties bevinden en maatschappelijke factoren op te sporen, die problemen kunnen veroorzaken in de woon- en leefsituatie van doelgroepen en deze onder de aandacht te brengen van verantwoordelijke personen en instanties;
15 de noodzaak te signaleren van preventieve activiteiten ten behoeve van bepaalde (groepen) cliënten, respectievelijk deze te plannen en vorm te geven al of niet in de context van reeds bestaande vormen van hulp- en dienstverlening;
16 een bijdrage leveren aan de ontwikkeling en vernieuwing van de instellingsmethodiek (door beroepsrelevante ontwikkelingen in de samenleving en in de zorg in kaart te brengen en te analyseren en aanzetten te geven die leiden tot verbetering van beleid en werkwijzen met betrekking tot hulp- en dienstverlening binnen en vanuit de organisatie);
17 een bijdrage te leveren aan de uitvoering en evaluatie van kwaliteitszorg binnen de organisatie en beheerstaken uit te voeren op financieel, administratief, personeelsplannings- en onderhoudsgebied met behulp van ICT en voorzover direct verbonden met de hulp- en dienstverlening waarvoor hij verantwoordelijk is;
18 als vertegenwoordiger van de eigen organisatie samen te werken met personen en instanties buiten de eigen organisatie;

c werken aan professionalisering

De beginnende beroepskracht demonstreert dat hij in staat is:
19 kritisch te reflecteren op eigen beroepsmatig handelen, houding en motivatie vanuit theoretische en normatieve kaders;
20 een adequate beroepshouding zichtbaar te maken in de interactie met cliënten, collega's, leidinggevenden en vertegenwoordigers van maatschappelijke instellingen en overheden;
21 de eigen loopbaan te sturen en vorm te geven door actief gebruik te maken van mogelijkheden die de organisatie biedt om de eigen deskundigheid verder te ontwikkelen;
22 een bijdrage te leveren aan de ontwikkeling van de beroepsmethodiek en de wetenschappelijke verankering van de beroepsmethodiek SPH door onder meer praktijkgestuurd onderzoek te verrichten, praktijktheorieën te ontwikkelen en nieuwe vragen en ontwikkelingen te doordenken op de consequenties voor bestaand beleid en methodiek;
23 een bijdrage te leveren aan de maatschappelijke profilering en legitimering van het beroep sociaal-pedagogische hulpverlener en positie te bepalen in de maatschappelijke discussie over vraagstukken van zorg en welzijn en de maatschappelijke functie, identiteit en legitimiteit van het beroep van SPH'er.

Kerncompetenties SPH Competent

1 Anticiperen

Definitie
Onder anticiperen verstaan we:
Het *voorzien en doorzien* van veranderende omstandigheden en/of onverwachte gebeurtenissen, het hierop *inspelen*, het doelgericht vormgeven aan het eigen handelen op basis van de nieuwe situatie en het achteraf *verantwoorden* van dit eigen handelen.

Handelingsdimensies binnen de competentie

1 *Voorzien en doorzien*
Het waarnemen van veranderende omstandigheden en/of onverwachte gebeurtenissen, vooruit denken, de situatie beoordelen op mogelijke consequenties.

2 *Inspelen op*
Pro-actief de mogelijke effecten flexibel beïnvloeden zodat zij in een gewenste richting worden omgebogen.

3 *Vormgeven*
Afhankelijk van de ontstane nieuwe situatie, in de context van het moment, doelgericht handelen.

4 *Verantwoorden*
Het afwijken van het geplande handelen in de ontstane situatie, achteraf verantwoorden, in relatie tot het vastgestelde doel en plan.

Relatie met de opleidingskwalificaties SPH

De beginnende beroepsbeoefenaar demonstreert dat hij in staat is:

1 Zelfstandig de woon- en leefsituatie te verkennen en te analyseren. (1)

2 Met een cliënt afzonderlijk en met cliënt en cliëntsysteem gezamenlijk te werken aan het ontwikkelen en in standhouden van competenties ten aanzien van:
- zelfredzaamheid en zelfzorg;
- het functioneren in de woon- en leefsituatie;
- het ontwikkelen en onderhouden van betekenisvolle relaties tot anderen. (3)

3 Sociaal-agogische en muzisch-agogische methoden, technieken en middelen te hanteren, met betrekking tot:
   - het tot stand brengen en instandhouden van een optimaal woon-, leef- en opvoedingsklimaat;
   - het beïnvloeden van het gedrag;
   - het hanteren van verschillende vormen van groepswerk;
   - probleemsignalering.
   - het integreren van preventieve activiteiten in verzorging, begeleiding en behandeling; (4)

4 Het eigen beroepshandelen te verantwoorden ten overstaan van cliënten en/of diens vertegenwoordigers, de eigen hulpverleningsorganisatie en/of andere opdrachtgevers en/of de samenleving. (9)

5 Condities te bewerkstelligen binnen de organisatie die een verantwoorde uitvoering van de hulp- en dienstverlening mogelijk maken. (12)

6 Maatschappelijke factoren op te sporen die problemen kunnen veroorzaken in de woon- en leefsituatie van doelgroepen. (14)

Relatie met de kernkwalificaties HBO Bachelor

1 *Multidisciplinaire integratie:* de integratie van kennis, inzichten, houdingen en vaardigheden (van verschillende vakinhoudelijke disciplines), vanuit het perspectief van het beroepsmatig handelen. (2)

2 *Transfer en brede inzetbaarheid:* de toepassing van kennis, inzichten en vaardigheden in uiteenlopende beroepssituaties. (4)

3 *Creativiteit en complexiteit in handelen:* vraagstukken in de beroepspraktijk, waarvan het probleem op voorhand niet duidelijk is omschreven en waarop de standaardprocedures niet van toepassing zijn. (5)

4 *Probleemgericht werken:* het zelfstandig definiëren en analyseren van complexe probleemsituaties in de beroepspraktijk op basis van relevante kennis en (theoretische) inzichten, het ontwikkelen en toepassen van zinvolle (nieuwe) oplossingsstrategieën en het beoordelen van de effectiviteit hiervan. (6)

5 *Methodisch en reflectief denken en handelen:* het stellen van realistische doelen, het plannen c.q. planmatig aanpakken van werkzaamheden en het reflecteren op het (beroepsmatig) handelen, op basis van het verzamelen en analyseren van relevante informatie. (7)

6 *Besef van maatschappelijke verantwoordelijkheid:* begrip en betrokkenheid zijn ontwikkeld met betrekking tot ethische, normatieve en maatschappelijke vragen samenhangend met de toepassing van kennis en de (toekomstige) beroepspraktijk. (10)

2 Communiceren

Definitie

Onder communiceren verstaan we:
Het vermogen om *mondeling te communiceren, hulpverleningsgesprekken te voeren, schriftelijk te communiceren en situationeel te reageren.*

Handelingsdimensies binnen de competentie

1 *Mondeling communiceren*
In zijn algemeenheid verstaanbaar, correct en begrijpelijk communiceren, ruis in de communicatie onderkennen en de eigen communicatievorm aanpassen aan reacties, niveau en context.

2 *Mondeling communiceren in hulpverleningsgesprekken*
Het kunnen voeren van verschillende soorten hulpverleningsgesprekken.

3 *Schriftelijk communiceren*
Het schrijven van diverse soorten, duidelijke, correct gespelde verslagen, met een logische zinsbouw en opbouw, afgestemd op de doelgroep.

4 *Situationeel reageren*
Het zich verplaatsen in anderen en de situatie en zichtbaar rekening houden met behoefte, niveau en belangen van anderen.

Relatie met de opleidingskwalificaties SPH

De beginnende beroepsbeoefenaar demonstreert dat hij in staat is:

1 Zelfstandig en samen met cliënten, andere hulpverleners en/of direct bij cliënten betrokkenen te komen tot het formuleren of herformuleren van hulpvragen, het vaststellen van hulpverleningsdoelen en hulpverleningsaanbod. (1)

2 Met een cliënt afzonderlijk en met cliënt en cliëntsysteem gezamenlijk te werken aan het ontwikkelen en in standhouden van competenties ten aanzien van:
- zelfredzaamheid en zelfzorg;
- het functioneren in de woon- en leefsituatie;
- het organiseren van de eigen woon- en leefsituatie;

- het ontwikkelen en onderhouden van betekenisvolle relaties tot anderen;
- het ontwikkelen van perspectief en zingeving;
- het vormgeven aan het samenleven in sociale netwerken en aan maatschappelijke participatie. (3)

3 Sociaal-agogische en muzisch-agogische methoden, technieken en middelen te hanteren, in het bijzonder met betrekking tot:
   - het beïnvloeden van het gedrag en het uitbreiden van het gedragsrepertoire;
   - het begeleiden van groepen in verschillende stadia van groepsontwikkeling en
   - het hanteren van verschillende vormen van groepswerk;
   - voorlichting, advies en informatie. (4)

4 De belangen te behartigen van cliënt en cliëntsysteem of hen daarin te ondersteunen door met hen of namens hen op te treden naar derden binnen de instelling of binnen de samenleving. (6)

5 Over de (voortgang van de) hulp- en dienstverlening te rapporteren en deze te evalueren; hulp- en dienstverleningsplannen te evalueren en bij te stellen. (7)

6 In situaties van hulp- en dienstverlening keuzen van in te zetten methoden en middelen te formuleren, te onderbouwen en te verantwoorden, met gebruikmaking van theoretische, ethische en juridische kaders. (8)

7 Het eigen beroepshandelen te verantwoorden ten overstaan van cliënten en/of diens vertegenwoordigers, de eigen hulpverleningsorganisatie en/of andere opdrachtgevers en/of de samenleving. (9)

8 Een adequate beroepshouding zichtbaar te maken in de interactie met cliënten, collega's, leidinggevenden en vertegenwoordigers van maatschappelijke instellingen en overheden. (20)

Relatie met de kernkwalificaties HBO Bachelor

1 *Multidisciplinaire integratie:* de integratie van kennis, inzichten, houdingen en vaardigheden (van verschillende vakinhoudelijke disciplines), vanuit het perspectief van het beroepsmatig handelen. (2)

2 *Transfer en brede inzetbaarheid:* de toepassing van kennis, inzichten en vaardigheden in uiteenlopende beroepssituaties. (4)

3 *Probleemgericht werken:* het zelfstandig definiëren en analyseren van complexe probleemsituaties in de beroepspraktijk op basis van relevante kennis en (theoretische) inzichten, het ontwikkelen en toepassen van zinvolle (nieuwe) oplossingsstrategieën en het beoordelen van de effectiviteit hiervan. (6)

4 *Methodisch en reflectief denken en handelen:* het stellen van realistische doelen, het plannen c.q. planmatig aanpakken van werkzaamheden en het reflecteren op het (beroepsmatig) handelen, op basis van het verzamelen en analyseren van relevante informatie. (7)

5 *Sociaal-communicatieve bekwaamheid:* het communiceren en samenwerken met anderen in een multiculturele, internationale en/of multidisciplinaire omgeving en het voldoen aan de eisen die het participeren in een arbeidsorganisatie stelt. (8)

3 Samenwerken

Definitie

Onder samenwerken verstaan we:
Het vermogen om *functioneel met anderen samen te werken* en daarmee een *bijdrage te leveren* aan een gemeenschappelijk doel. Het *denken en doen* vanuit gemeenschappelijk belang en *gebruikmaken* van de meerwaarde van de groep/de ander.

Handelingsdimensies binnen de competentie

1 *Functioneel samenwerken*
Met samenwerkingspartners werkbare afspraken maken die een bijdrage leveren aan het te bereiken groepsresultaat waarbij het groepsbelang boven het eigen belang staat. Functioneel informeren en communiceren van eigen standpunten, argumenten, mogelijkheden en de voortgang van het proces.

2 *Bijdrage leveren aan een gemeenschappelijk doel*
Een bijdrage leveren aan het vaststellen van en het werken aan een gemeenschappelijk doel. De eigen inbreng afstemmen op het gemeenschappelijk doel en bereid zijn daarvoor concessies te doen.

3 *Denken en doen vanuit gemeenschappelijk belang*
Aansturen op oplossingen die voor alle partijen acceptabel zijn, uitgaande van het resultaat en rekening houdend met verschillende belangen en behoeften, onderhandelen en conflicten aanpakken zodanig dat recht wordt gedaan aan alle partijen.

4 *Gebruikmaken van de meerwaarde van de groep/de ander*
Vanuit de gemeenschappelijke verantwoordelijkheid van de groep synergie bereiken door gebruik te maken van kennis, inzichten en ideeën van de afzonderlijke groepsleden en een resultaat dat recht doet aan alle partijen (win-win).

Relatie met de opleidingskwalificaties SPH

De beginnende beroepsbeoefenaar demonstreert dat hij in staat is:

1 Zelfstandig en samen met cliënten, andere hulpverleners en/of direct bij cliënten betrokkenen de woon- en leefsituatie te verkennen en te analyseren, samen te komen tot het formuleren of herformuleren van hulpvragen, het vaststellen van hulpverleningsdoelen en hulpverleningsaanbod en het vormgeven van hulp- en dienstverleningsplannen. (1)

2 Sociale ondersteuning voor de cliënt te creëren of te versterken door sociale systemen en maatschappelijke instellingen die voor de cliënt in de woon- en leefsituatie belangrijk zijn, op methodische wijze te beïnvloeden. (5)

3 De belangen te behartigen van cliënt en cliëntsysteem of hen daarin te ondersteunen door met hen of namens hen op te treden naar derden binnen de instelling of binnen de samenleving. (6)

4 Zich als sociaal-pedagogisch hulpverlener te profileren en positioneren in een organisatie of samenwerkingsverband en de eigen bijdrage als sociaal-pedagogisch hulpverlener te definiëren en te legitimeren. (10)

5 Samen te werken met collega's en vertegenwoordigers van andere beroepsgroepen in het kader van de ontwikkeling en uitvoering van hulpverleningsbeleid en hulpverleningsprogramma's. (11)

6 Als vertegenwoordiger van de eigen organisatie samen te werken met personen en instanties buiten de eigen organisatie. (18)

7 Een adequate beroepshouding zichtbaar te maken in de interactie met cliënten, collega's, leidinggevenden en vertegenwoordigers van maatschappelijke instellingen en overheden. (20)

Relatie met de kernkwalificaties HBO Bachelor

1 *Multidisciplinaire integratie:* de integratie van kennis, inzichten, houdingen en vaardigheden (van verschillende vakinhoudelijke disciplines), vanuit het perspectief van het beroepsmatig handelen. (2)

2 *Transfer en brede inzetbaarheid:* de toepassing van kennis, inzichten en vaardigheden in uiteenlopende beroepssituaties. (4)

3 *Sociaal-communicatieve bekwaamheid:* het communiceren en samenwerken met anderen in een multiculturele, internationale en/of multidisciplinaire omgeving en het voldoen aan de eisen die het participeren in een arbeidsorganisatie stelt. (8)

4 Methodisch handelen

Definitie

Onder methodisch handelen verstaan we:
Het vermogen om in het kader van het hulpverlenend handelen, in voortdurende *dialoog* met de cliënt (het cliëntsysteem), op *cyclische* wijze en op basis van systematische *reflectie:*

- systematisch relevante *informatie te verzamelen*;
- deze informatie te *analyseren*;
- op basis hiervan *hulpverleningsdoelen te formuleren en activiteiten te plannen;*
- binnen het kader van de geformuleerde doelen te *interveniëren;*
- en dit hulpverlenend handelen te evalueren op zijn effecten in relatie tot de gestelde doelen en eventueel *bij te stellen en te waarderen*.

Handelingsdimensies binnen de competentie

1 *De dialoog met de cliënt aangaan en onderhouden*
De dialoog met de cliënt aangaan en onderhouden tijdens alle fasen van het methodisch handelen.

2 *Verzamelen*
Het systematisch, en met gebruikmaking van relevante sociaal-agogische concepten en modellen, verzamelen van relevante informatie om een volledig beeld te krijgen van de cliënt in zijn/haar probleemsituatie.

3 *Analyseren*
Op basis van relevante sociaal-agogische concepten en modellen, onderzoeken van de gevonden informatie op factoren die richtinggevend zijn voor de ontstane (probleem)situatie en op basis van deze analyse het formuleren van een hypothese in termen van een concrete hulpvraag.

4 *Doelen formuleren*
Het beschrijven van de gewenste situatie en het gewenste gedrag. Dit beschrijven dient specifiek, meetbaar, haalbaar, realistisch en tijdsgebonden te zijn (SMART).

5 *Plannen*
Op basis van relevante sociaal-agogische modellen en technieken, de gewenste methoden, activiteiten en gewenst handelen vaststellen, om stapsgewijs en bewust van de (probleem)situatie naar de gewenste situatie te geraken. Het beschrijven van de stappen die noodzakelijk zijn om de geformuleerde doelen te bereiken, in de gewenste volgorde en gewenst tijdsbestek.

6 *Interveniëren*
Het daadwerkelijk bewust handelen, het uitvoeren van de geformuleerde activiteiten, om de doelen te realiseren.

7 *Evalueren en bijstellen*
Het in kaart brengen van de effecten van het interveniëren in relatie tot de geformuleerde doelen en het bijstellen van zowel activiteiten als doelen indien gewenst, dan wel een nieuwe cyclus in gang zetten. Evalueren en bijstellen dienen, gezien het cyclische karakter van het methodisch handelen, behalve op de formele momenten, bij elke relevante aanleiding plaats te vinden.

8 *Reflecteren en waarderen*
Het voortdurend en systematisch reflecteren op gemaakte keuzes, tijdens elke fase van het methodisch handelen, op basis van de dialoog met de cliënt, en met inachtneming van normatieve kaders en relevante sociaal-agogische concepten en modellen. Op basis van deze reflectie komen tot een realistische waardering van het eigen methodisch handelen.

Relatie met de opleidingskwalificaties SPH

De beginnende beroepsbeoefenaar demonstreert dat hij in staat is:

1 Zelfstandig en samen met cliënten, andere hulpverleners en/of direct bij cliënten betrokkenen de woon- en leefsituatie te verkennen en te analyseren, samen te komen tot het formuleren of herformuleren van hulpvragen, het vaststellen van hulpverleningsdoelen en hulpverleningsaanbod en het vormgeven van hulp- en dienstverleningsplannen. (1)

2 Programma's voor hulp- en dienstverlening te ontwerpen in situaties die gekenmerkt worden door complexe problematiek en hulpvragen, afgestemd op de behoeften en mogelijkheden van de cliënt. (2)

3 Met een cliënt afzonderlijk en met cliënt en cliëntsysteem gezamenlijk te werken aan het ontwikkelen en in standhouden van competenties ten aanzien van:
- zelfredzaamheid en zelfzorg;
- het functioneren in de woon- en leefsituatie;

- het organiseren van de eigen woon- en leefsituatie;
- het ontwikkelen en onderhouden van betekenisvolle relaties tot anderen;
- het ontwikkelen van perspectief en zingeving;
- het vormgeven aan het samenleven in sociale netwerken en aan maatschappelijke participatie. (3)

4 Sociaal-agogische en muzisch-agogische methoden, technieken en middelen te hanteren, in het bijzonder met betrekking tot:
- het tot stand brengen en instandhouden van een optimaal woon-, leef- en opvoedingsklimaat;
- het bevorderen van de cognitieve, emotionele, sociale en motorische ontwikkeling en idem functioneren;
- het beïnvloeden van het gedrag en het uitbreiden van het gedragsrepertoire;
- het begeleiden van groepen in verschillende stadia van groepsontwikkeling en het hanteren van verschillende vormen van groepswerk;
- het ontwerpen, uitvoeren en evalueren van activiteiten;
- probleemsignalering en verwijzing;
- het integreren van preventieve activiteiten in verzorging, begeleiding en behandeling;
- voorlichting, advies en informatie. (4)

5 Sociale ondersteuning voor de cliënt te creëren of te versterken door sociale systemen en maatschappelijke instellingen die voor de cliënt in de woon- en leefsituatie belangrijk zijn, op methodische wijze te beïnvloeden. (5)

6 De belangen te behartigen van cliënt en cliëntsysteem of hen daarin te ondersteunen door met hen of namens hen op te treden naar derden binnen de instelling of binnen de samenleving. (6)

7 Over de (voortgang van de) hulp- en dienstverlening te rapporteren en deze te evalueren; hulp- en dienstverleningsplannen te evalueren en bij te stellen. (7)

8 In situaties van hulp- en dienstverlening keuzen van in te zetten methoden en middelen te formuleren, te onderbouwen en te verantwoorden, met gebruikmaking van theoretische, ethische en juridische kaders. (8)

9 Het eigen beroepshandelen te verantwoorden ten overstaan van cliënten en/of diens vertegenwoordigers, de eigen hulpverleningsorganisatie en/of andere opdrachtgevers en/of de samenleving. (9)

10 Kritisch te reflecteren op eigen beroepsmatig handelen, houding en motivatie vanuit theoretische en normatieve kaders. (19)

11 Een adequate beroepshouding zichtbaar te maken in de interactie met cliënten, collega's, leidinggevenden en vertegenwoordigers van maatschappelijke instellingen en overheden. (20)

Relatie met de kernkwalificaties HBO Bachelor

1 *Multidisciplinaire integratie:* de integratie van kennis, inzichten, houdingen en vaardigheden (van verschillende vakinhoudelijke disciplines), vanuit het perspectief van het beroepsmatig handelen. (2)

2 *Transfer en brede inzetbaarheid:* de toepassing van kennis, inzichten en vaardigheden in uiteenlopende beroepssituaties. (4)

3 *Creativiteit en complexiteit in handelen:* vraagstukken in de beroepspraktijk, waarvan het probleem op voorhand niet duidelijk is omschreven en waarop de standaardprocedures niet van toepassing zijn. (5)

4 *Probleemgericht werken:* het zelfstandig definiëren en analyseren van complexe probleemsituaties in de beroepspraktijk op basis van relevante kennis en (theoretische) inzichten, het ontwikkelen en toepassen van zinvolle (nieuwe) oplossingsstrategieën en het beoordelen van de effectiviteit hiervan. (6)

5 *Methodisch en reflectief denken en handelen:* het stellen van realistische doelen, het plannen c.q. planmatig aanpakken van werkzaamheden en het reflecteren op het (beroepsmatig) handelen, op basis van het verzamelen en analyseren van relevante informatie. (7)

5 Innoveren

Definitie

Onder innoveren verstaan we:
Het vermogen tot *introduceren, inspireren en initiëren,* vanuit een breed maatschappelijk, politiek en economisch bewustzijn, van nieuwe ideeën, beleid, werkwijzen en toepassingen in het hulpverleningsaanbod en het SPH-eigen beroepsmatig handelen. In de context van de beroepsuitoefening, deze *vorm* te *geven* in het hulpverleningsaanbod, eigen professioneel handelen en de organisatie, en tevens te *implementeren en evalueren.*

Handelingsdimensies binnen de competentie

1 *Introduceren*
Komen met niet-alledaagse ideeën, vanuit de betrokkenheid op de hulp-

vrager, de hulpverlener en de organisatie, door actief op zoek te gaan naar nieuwe inzichten, kennis en ontwikkelingen, binnen en buiten het vakgebied van de SPH'er, multidisciplinair en internationaal.

2 *Inspireren en initiëren*
Op alle niveaus communiceren, mensen stimuleren tot meedenken, draagvlak creëren en mensen mobiliseren om samen vernieuwingen in het aanbod te kunnen realiseren.

3 *Vormgeven, implementeren en evalueren*
Los van bestaande procedures mogelijkheden creëren om de gemaakte keuzes volgens nieuwe concepten, zowel procesmatig als resultaatgericht vorm te geven in de organisatie en het professioneel handelen en zorgdragen voor adequate implementatie en evaluatie.

Relatie met de opleidingskwalificaties SPH

De beginnende beroepsbeoefenaar demonstreert dat hij in staat is:

1 Programma's voor hulp- en dienstverlening te ontwerpen in situaties die gekenmerkt worden door complexe problematiek en hulpvragen, afgestemd op de behoeften en mogelijkheden van de cliënt. (2)

2 In situaties van hulp- en dienstverlening keuzen van in te zetten methoden en middelen te formuleren, te onderbouwen en te verantwoorden, met gebruikmaking van theoretische, ethische en juridische kaders. (8)

3 Zich als sociaal-pedagogisch hulpverlener te profileren en positioneren in een organisatie of samenwerkingsverband en de eigen bijdrage als sociaal-pedagogisch hulpverlener te definiëren en te legitimeren. (10)

4 Samen te werken met collega's en vertegenwoordigers van andere beroepsgroepen in het kader van de ontwikkeling en uitvoering van hulpverleningsbeleid en hulpverleningsprogramma's. (11)

5 Condities te bewerkstelligen binnen de organisatie die een verantwoorde uitvoering van de hulp- en dienstverlening mogelijk maken. (12)

6 Leiding en begeleiding te geven aan collega's, andere beroepsbeoefenaren, vrijwilligers en mantelzorgers in het kader van de hulp- en dienstverlening aan cliënten. (13)

7 Een bijdrage te leveren aan de ontwikkeling en vernieuwing van de instellingsmethodiek, door beroepsrelevante ontwikkelingen in de samenleving

en in de zorg in kaart te brengen en te analyseren en aanzetten te geven die leiden tot verbetering van beleid en werkwijzen met betrekking tot hulp- en dienstverlening binnen en vanuit de organisatie. (16)

8 Een bijdrage te leveren aan de ontwikkeling van de beroepsmethodiek en de wetenschappelijke verankering van de beroepsmethodiek SPH door onder meer praktijkgestuurd onderzoek te verrichten, praktijktheorieën te ontwikkelen en nieuwe vragen en ontwikkelingen te doordenken op de consequenties voor bestaand beleid en de methodiek. (22)

9 Een bijdrage te leveren aan de maatschappelijke profilering en legitimering van het beroep sociaal-pedagogische hulpverlener en positie te bepalen in de maatschappelijke discussie over vraagstukken van zorg en welzijn en over de maatschappelijke functie, identiteit en legitimiteit van het beroep van SPH'er. (23)

Relatie met de kernkwalificaties HBO Bachelor

1 *Brede professionalisering:* wil zeggen dat de student aantoonbaar wordt toegerust met actuele kennis die aansluit bij recente (wetenschappelijke) kennis, inzichten, concepten en onderzoeksresultaten, alsmede aan de in het beroepsprofiel geschetste (internationale) ontwikkelingen in het beroepenveld, met het doel zich te kwalificeren voor:
   - het zelfstandig kunnen uitvoeren van de taken van beginnend beroepsbeoefenaar;
   - het functioneren binnen een arbeidsorganisatie;
   - de verdere professionalisering van de eigen beroepsuitoefening c.q. het beroep. (1)

2 *Multidisciplinaire integratie:* de integratie van kennis, inzichten, houdingen en vaardigheden (van verschillende vakinhoudelijke disciplines), vanuit het perspectief van het beroepsmatig handelen. (2)

3 *(Wetenschappelijke) toepassing:* de toepassing van beschikbare relevante (wetenschappelijke) inzichten, theorieën, concepten en onderzoeksresultaten bij vraagstukken waar afgestudeerden in hun beroepsuitoefening mee geconfronteerd worden. (3)

4 *Transfer en brede inzetbaarheid:* de toepassing van kennis, inzichten en vaardigheden in uiteenlopende beroepssituaties. (4)

5 *Creativiteit en complexiteit in handelen:* vraagstukken in de beroepspraktijk, waarvan het probleem op voorhand niet duidelijk is omschreven en waarop de standaardprocedures niet van toepassing zijn. (5)

6 *Probleemgericht werken:* het zelfstandig definiëren en analyseren van complexe probleemsituaties in de beroepspraktijk op basis van relevante kennis en (theoretische) inzichten, het ontwikkelen en toepassen van zinvolle (nieuwe) oplossingsstrategieën en het beoordelen van de effectiviteit hiervan. (6)

7 *Methodisch en reflectief denken en handelen:* het stellen van realistische doelen, het plannen c.q. planmatig aanpakken van werkzaamheden en het reflecteren op het (beroepsmatig) handelen, op basis van het verzamelen en analyseren van relevante informatie. (7)

8 *Sociaal-communicatieve bekwaamheid:* het communiceren en samenwerken met anderen in een multiculturele, internationale en/of multidisciplinaire omgeving en het voldoen aan de eisen die het participeren in een arbeidsorganisatie stelt. (8)

6 Conceptueel en normatief handelen

Definitie

Onder conceptueel en normatief handelen verstaan we:
Het vermogen tot *analyseren* en *integreren* van actuele inzichten en (wetenschappelijke) theorieën, die relevant zijn voor het eigen beroepsmatig handelen en het hulpverleningsaanbod en het vermogen tot het onderbouwd *verantwoorden* van het eigen beroepsmatig handelen en het hulpverleningsaanbod.

Handelingsdimensies binnen de competentie

1 *Analyseren*
Relevante theoretische, normatieve, ethische en juridische kaders onderzoeken op hun betekenis voor het eigen beroepsmatig handelen en het hulpverleningsaanbod.

2 *Integreren*
Innemen van een eigen standpunt gerelateerd aan relevante theoretische, normatieve, ethische en juridische kaders en het eigen handelen in relatie tot het hulpverleningsaanbod daarmee in overeenstemming brengen.
Kennis en begrip van de materie zijn hierbij verondersteld.

3 *Verantwoorden*
Het onderbouwd verantwoording afleggen van het eigen handelen en het hulpverleningsaanbod, aan betrokkenen, met inachtneming van geldende theoretische, normatieve, ethische en juridische kaders.

Relatie met opleidingskwalificaties SPH

De beginnende beroepsbeoefenaar demonstreert dat hij in staat is:

1 In situaties van hulp- en dienstverlening keuzen van in te zetten methoden en middelen te formuleren, te onderbouwen en te verantwoorden, met gebruikmaking van theoretische, ethische en juridische kaders. (8)

2 Het eigen beroepshandelen te verantwoorden ten overstaan van cliënten en/of diens vertegenwoordigers, de eigen hulpverleningsorganisatie en/of andere opdrachtgevers en/of de samenleving. (9)

3 Doelgroepen te signaleren die zich in problematische leefsituaties bevinden en maatschappelijke factoren op te sporen die problemen kunnen veroorzaken in de woon- en leefsituatie van doelgroepen en deze onder de aandacht te brengen van verantwoordelijke personen en instanties. (14)

4 Een bijdrage te leveren aan de ontwikkeling en vernieuwing van de instellingsmethodiek, door beroepsrelevante ontwikkelingen in de samenleving en in de zorg in kaart te brengen en te analyseren en aanzetten te geven die leiden tot verbetering van beleid en werkwijzen met betrekking tot hulp- en dienstverlening binnen en vanuit de organisatie. (16)

5 Een bijdrage te leveren aan de uitvoering en evaluatie van kwaliteitszorg binnen de organisatie en beheerstaken uit te voeren op financieel, administratief, personeelsplannings- en onderhoudsgebied met behulp van ICT en voor zover direct verbonden met de hulp- en dienstverlening waarvoor hij verantwoordelijk is. (17)

6 Kritisch te reflecteren op eigen beroepsmatig handelen, houding en motivatie vanuit theoretische en normatieve kaders. (19)

7 Een bijdrage te leveren aan de ontwikkeling van de beroepsmethodiek en de wetenschappelijke verankering van de beroepsmethodiek SPH door onder meer praktijkgestuurd onderzoek te verrichten, praktijktheorieën te ontwikkelen en nieuwe vragen en ontwikkelingen te doordenken op de consequenties voor bestaand beleid en de methodiek. (22)

8 Een bijdrage te leveren aan de maatschappelijke profilering en legitimering van het beroep sociaal-pedagogische hulpverlener en positie te bepalen in de maatschappelijke discussie over vraagstukken van zorg en welzijn en over de maatschappelijke functie, identiteit en legitimiteit van het beroep van SPH'er. (23)

Relatie met de kernkwalificaties HBO Bachelor

1 *Brede professionalisering:* wil zeggen dat de student aantoonbaar wordt toegerust met actuele kennis die aansluit bij recente (wetenschappelijke) kennis, inzichten, concepten en onderzoeksresultaten, alsook bij in het beroepsprofiel geschetste (internationale) ontwikkelingen in het beroepenveld, met het doel zich te kwalificeren voor:
   - het zelfstandig kunnen uitvoeren van de taken van beginnend beroepsbeoefenaar;
   - het functioneren binnen een arbeidsorganisatie;
   - de verdere professionalisering van de eigen beroepsuitoefening c.q. het beroep. (1)

2 *Multidisciplinaire integratie:* de integratie van kennis, inzichten, houdingen en vaardigheden (van verschillende vakinhoudelijke disciplines), vanuit het perspectief van het beroepsmatig handelen. (2)

3 *(Wetenschappelijke) toepassing:* de toepassing van beschikbare relevante (wetenschappelijke) inzichten, theorieën, concepten en onderzoeksresultaten bij vraagstukken waar afgestudeerden in hun beroepsuitoefening mee geconfronteerd worden. (3)

4 *Transfer en brede inzetbaarheid:* de toepassing van kennis, inzichten en vaardigheden in uiteenlopende beroepssituaties. (4)

5 *Probleemgericht werken:* het zelfstandig definiëren en analyseren van complexe probleemsituaties in de beroepspraktijk op basis van relevante kennis en (theoretische) inzichten, het ontwikkelen en toepassen van zinvolle (nieuwe) oplossingsstrategieën en het beoordelen van de effectiviteit hiervan. (6)

6 *Besef van maatschappelijke verantwoordelijkheid:* begrip en betrokkenheid zijn ontwikkeld met betrekking tot ethische, normatieve en maatschappelijke vragen samenhangend met de toepassing van kennis en de (toekomstige) beroepspraktijk. (10)

7 Leidinggeven

Definitie

Onder leidinggeven verstaan we:
het vermogen om vanuit algemene (beleids)kaders binnen het hulpverleningsaanbod collega's *aan te sturen, besluiten te nemen* die gevolgen hebben voor zowel cliënten, collega's als de organisatie, het *coachen* van collega's en het verantwoorden van de beleidsuitvoering ten overstaan van anderen.

Handelingsdimensies binnen deze competentie zijn

1 *Aansturen*
Het op doelgerichte, transparante en motiverende wijze aanzetten van de ander tot denken en doen vanuit de taak/functie, passend binnen de situatie en het beleid van de organisatie.

2 *Nemen van besluiten*
In complexe situaties kiezen uit een aantal alternatieven die consequenties hebben voor het werk van anderen in de organisatie.

3 *Coachen*
Het begeleiden van een (ander) collega of medewerker met aandacht voor de specifieke mogelijkheden en belemmeringen van die ander, waarbij de nadruk ligt het stimuleren en motiveren van zelfsturing en empowerment in dialoog met de ander.

4 *Verantwoorden*
Ten overstaan van cliënten, collegae en instanties, standpunten onderbouwen met argumenten, en verantwoording nemen voor de beleidsuitvoering.

Relatie met de opleidingskwalificaties SPH

De beginnende beroepsbeoefenaar demonstreert dat hij in staat is:

1 Zich als sociaal-pedagogisch hulpverlener te profileren en positioneren in een organisatie of samenwerkingsverband en de eigen bijdrage als sociaal-pedagogisch hulpverlener te definiëren en te legitimeren. (10)

2 Samen te werken met collega's en vertegenwoordigers van andere beroepsgroepen in het kader van de ontwikkeling en uitvoering van hulpverleningsbeleid en hulpverleningsprogramma's. (11)

3 Condities te bewerkstelligen binnen de organisatie die een verantwoorde uitvoering van de hulp- en dienstverlening mogelijk maken. (12)

4 Leiding en begeleiding te geven aan collega's, andere beroepsbeoefenaren, vrijwilligers en mantelzorgers in het kader van de hulp- en dienstverlening aan cliënten. (13)

5 Een bijdrage te leveren aan de ontwikkeling en vernieuwing van de instellingsmethodiek, door beroepsrelevante ontwikkelingen in de samenleving en in de zorg in kaart te brengen en te analyseren en aanzetten te geven die

leiden tot verbetering van beleid en werkwijzen met betrekking tot hulp- en dienstverlening binnen en vanuit de organisatie. (16)

6 Een bijdrage te leveren aan de uitvoering en evaluatie van kwaliteitszorg binnen de organisatie en beheerstaken uit te voeren op financieel, administratief, personeelsplannings- en onderhoudsgebied met behulp van ICT en voor zover direct verbonden met de hulp- en dienstverlening waarvoor hij verantwoordelijk is. (17)

7 Als vertegenwoordiger van de eigen organisatie samen te werken met personen en instanties buiten de eigen organisatie. (18)

8 Kritisch te reflecteren op eigen beroepsmatig handelen, houding en motivatie vanuit theoretische en normatieve kaders. (19)

9 Een adequate beroepshouding zichtbaar te maken in de interactie met cliënten, collega's, leidinggevenden en vertegenwoordigers van maatschappelijke instellingen en overheden. (20)

Relatie met de kernkwalificaties HBO Bachelor

1 *Brede professionalisering:* wil zeggen dat de student aantoonbaar wordt toegerust met actuele kennis die aansluit bij recente (wetenschappelijke) kennis, inzichten, concepten en onderzoeksresultaten, alsmede aan de in het beroepsprofiel geschetste (internationale) ontwikkelingen in het beroepenveld, met het doel zich te kwalificeren voor:
- het zelfstandig kunnen uitvoeren van de taken van beginnend beroepsbeoefenaar;
- het functioneren binnen een arbeidsorganisatie;
- de verdere professionalisering van de eigen beroepsuitoefening c.q. het beroep (1)

2 *Multidisciplinaire integratie:* de integratie van kennis, inzichten, houdingen en vaardigheden (van verschillende vakinhoudelijke disciplines), vanuit het perspectief van het beroepsmatig handelen. (2)

3 *(Wetenschappelijke) toepassing:* de toepassing van beschikbare relevante (wetenschappelijke) inzichten, theorieën, concepten en onderzoeksresultaten bij vraagstukken waar afgestudeerden in hun beroepsuitoefening mee geconfronteerd worden (3).

4 *Transfer en brede inzetbaarheid:* de toepassing van kennis, inzichten en vaardigheden in uiteenlopende beroepssituaties. (4)

5 *Creativiteit en complexiteit in handelen:* vraagstukken in de beroepspraktijk, waarvan het probleem op voorhand niet duidelijk is omschreven en waarop de standaardprocedures niet van toepassing zijn. (5)

6 *Probleemgericht werken:* het zelfstandig definiëren en analyseren van complexe probleemsituaties in de beroepspraktijk op basis van relevante kennis en (theoretische) inzichten, het ontwikkelen en toepassen van zinvolle (nieuwe) oplossingsstrategieën en het beoordelen van de effectiviteit hiervan. (6)

7 *Methodisch en reflectief denken en handelen:* het stellen van realistische doelen, het plannen c.q. planmatig aanpakken van werkzaamheden en het reflecteren op het (beroepsmatig) handelen, op basis van het verzamelen en analyseren van relevante informatie. (7)

8 *Sociaal-communicatieve bekwaamheid:* het communiceren en samenwerken met anderen in een multiculturele, internationale en/of multidisciplinaire omgeving en het voldoen aan de eisen die het participeren in een arbeidsorganisatie stelt. (8)

9 *Basiskwalificering voor managementfuncties:* het uitvoeren van eenvoudige leidinggevende en managementtaken. (9)

10 *Besef van maatschappelijke verantwoordelijkheid:* begrip en betrokkenheid zijn ontwikkeld met betrekking tot ethische, normatieve en maatschappelijke vragen samenhangend met de toepassing van kennis en de (toekomstige) beroepspraktijk. (10)

8 Zelfhantering

Definitie

Onder zelfhantering verstaan we:
Het vermogen om op een adequate wijze zichzelf te hanteren binnen de gegeven context, door middel van *grenzen aan te geven en te hanteren, keuzes te maken* op basis van inzicht in de eigen (on)mogelijkheden, *zichzelf in stressvolle situaties te hanteren en te reflecteren* op deze zelfhantering.

Handelingsdimensies binnen de competentie

1 *Grenzen aangeven en hanteren*
Het herkennen en erkennen van eigen grenzen en die van de ander.
In staat zijn deze grenzen aan te geven en te bewaken.

2 *Keuzes maken*
Het maken van persoonlijke keuzes op basis van inzicht in de eigen (on)mogelijkheden.
Richting te geven aan gedrag, passend bij de gemaakte keuze. Het gedrag vanuit die keuzes aanpassen aan de omstandigheden.

3 *Zelfhantering in stressvolle situaties*
Spanning bij zichzelf en anderen herkennen en deze omzetten in adequaat handelen.

4 *Reflectie op de zelfhantering*
In staat zijn om afstand te nemen van het de zelfhantering, dit te doordenken en op basis van deze reflectie en waardering te geven hieraan. Tevens in staat zijn om conclusies te trekken voor de zelfhantering in toekomstige situaties.

Relatie met de opleidingskwalificaties SPH

De beginnende beroepsbeoefenaar demonstreert dat hij in staat is:

1 Het eigen beroepshandelen te verantwoorden ten overstaan van cliënten en/of diens vertegenwoordigers, de eigen hulpverleningsorganisatie en/of andere opdrachtgevers en/of de samenleving. (9)

2 Zich als sociaal-pedagogisch hulpverlener te profileren en positioneren in een organisatie of samenwerkingsverband en de eigen bijdrage als sociaal-pedagogisch hulpverlener te definiëren en te legitimeren. (10)

3 Kritisch te reflecteren op eigen beroepsmatig handelen, houding en motivatie vanuit theoretische en normatieve kaders. (19)

4 Een adequate beroepshouding zichtbaar te maken in de interactie met cliënten, collega's, leidinggevenden en vertegenwoordigers van maatschappelijke instellingen en overheden. (20)

5 De eigen loopbaan te sturen en vorm te geven door actief gebruik te maken van mogelijkheden die de organisatie biedt om de eigen deskundigheid verder te ontwikkelen. (21)

6 Een bijdrage te leveren aan de maatschappelijke profilering en legitimering van het beroep sociaal-pedagogische hulpverlener en positie te bepalen in de maatschappelijke discussie over vraagstukken van zorg en welzijn en over de maatschappelijke functie, identiteit en legitimiteit van het beroep van SPH'er. (23)

Relatie met de kernkwalificaties HBO Bachelor

1 *Brede professionalisering:* wil zeggen dat de student aantoonbaar wordt toegerust met actuele kennis die aansluit bij recente (wetenschappelijke) kennis, inzichten, concepten en onderzoeksresultaten, alsook bij de in het beroepsprofiel geschetste (internationale) ontwikkelingen in het beroepenveld,met het doel zich te kwalificeren voor:
- het zelfstandig kunnen uitvoeren van de taken van beginnend beroepsbeoefenaar;
- het functioneren binnen een arbeidsorganisatie;
- de verdere professionalisering van de eigen beroepsuitoefening c.q. het beroep. (1)

2 *Multidisciplinaire integratie:* de integratie van kennis, inzichten, houdingen en vaardigheden (van verschillende vakinhoudelijke disciplines), vanuit het perspectief van het beroepsmatig handelen. (2)

3 *Creativiteit en complexiteit in handelen:* vraagstukken in de beroepspraktijk, waarvan het probleem op voorhand niet duidelijk is omschreven en waarop de standaardprocedures niet van toepassing zijn. (5)

4 *Methodisch en reflectief denken en handelen:* het stellen van realistische doelen, het plannen c.q. planmatig aanpakken van werkzaamheden en het reflecteren op het (beroepsmatig) handelen, op basis van het verzamelen en analyseren van relevante informatie. (7)

5 *Besef van maatschappelijke verantwoordelijkheid:* begrip en betrokkenheid zijn ontwikkeld met betrekking tot ethische, normatieve en maatschappelijke vragen samenhangend met de toepassing van kennis en de (toekomstige) beroepspraktijk. (10)

Bijlage 3

Bewijslast

Jouw opleiding zou voor de volgende constructie kunnen kiezen aangaande 'Bewijslast'.

Om aan te kunnen tonen dat je een SPH-competentie ontwikkeld hebt moet je bewijzen kunnen overleggen aan de beoordelaar(s). Deze bewijzen neem je op in het portfolio.
Voor iedere competentie moet je **minimaal 1 formeel of 2 informele bewijzen opnemen.** Er zijn verschillende soorten bewijzen.

Formele bewijzen: dit zijn eigenlijk bewijzen, waarbij er al een beoordeling plaatsgevonden heeft door iemand die daartoe bevoegd is. Je kunt hierbij denken aan:
1 tentamenuitslagen
2 diploma's
3 rapporten
4 getuigschriften
5 assessment-uitslagen

Informele bewijzen: bewijzen waarbij dat niet het geval is. Je kunt hierbij denken aan:
1 verslagen
2 reflectieverslagen
3 werkstukken
4 video-opnamen
5 foto's van activiteiten die je hebt uitgevoerd
6 behandelplannen

Beoordeling

En besluit daarbij met een korte beschrijving van het proces dat tot dit bewijs heeft geleid (beschrijving van de situatie, context SPH, wat heb je gedaan en waarom, wat betekent het resultaat en wat zegt dat over de competentie (een soort reflectie dus).

Je bespreekt het portfolio, inclusief de bewijzen en analyse met je leerprocesbegeleider. Als hij akkoord is dan lever je het portfolio in bij de beoordelaar(s).

Bijlage 4

Voorbeeld opbouw van digitaal portfolio

Voorbeeldstructuur Digitaal Portfolio op Intranet

Sociaal Pedagogische Hulpverlening

Portfolio

- *Cohort 2001-2002*
- *Naam student* **(vanaf hier je rechten goed bepalen)**
  - *CV (zie voorbeeld)*
  - *Portfolio – verslagen*
    - o *3.1*
    - o *3.2*
    - o *3.3*
    - o *3.4*
  - *POP's*
    - o *2.4*
    - o *3.1*
    - o *3.2*
    - o *3.3*
    - o *3.4*
  - *Feedback*
    - o *leerprocesbegeleider-begeleider*
    - o *praktijkbegeleider*
    - o *peer-assessessers*
    - o *teamleden*
    - o
  - *Beoordelingen (officieel)*
    - o *leerprocesbegeleider*
    - o *supervisor*
  - *Producten*
    - o
    - o
    - o
    - o
    - o

- ***Discussie***
  - o **(*Beantwoordersrechten voor leerprocesbegeleider en groepsleden*)**

Voorbeeld Curriculum Vitae

Onderstaand voorbeeld van een CV kun je gebruiken. Dit is niet verplicht.

Naam en leeftijdsgegevens
- *Naam*
- *Geboortedatum*
- *Geboorteplaats*
- *Land van geboorte*
- *Geslacht*
- *Burgerlijke staat*
- *Kerkelijke staat*

Adresgegevens
- *Woonadres*
- *Postcode*
- *Woonplaats*

Bereikbaarheid
- *Telefoon thuis*
- *Mobiel*
- *E-mail*

Gegevens stage-instelling
- *Naam praktijkbegeleider*
- *Telefoon instelling*
- *Telefoon afdeling*
- *E-mail (eventueel)*

Naam Leerprocesbegeleider

Naam Supervisor

Opleidingen en cursussen

Werkervaring/stage-ervaringen

Overige bezigheden

Hobby's

Literatuur

Arets, Heijnen en Ortmans, 2002. Academic Service, Schoonhoven. *Werkboek persoonlijk ontwikkelingsplan.*

Boot, C. en Tillema, H., 2001. *Competentiegericht beoordelen in het hoger beroepsonderwijs.* Uitgeverij Lemma, Utrecht, ISBN 90 518 9930 0.

DCP, Landelijk opleidingsoverleg SPH, 1999.

De creatieve professional, Opleidingsprofiel en Opleidingskwalificatie Sociaal Pedagogische hulpverlening, Landelijk Opleidingsoverleg SPH 1999.

Handboek elektronisch portfolio in het onderwijs, project E-folio Surf. www.edusite.nl. O&O Capaciteitsgroep Onderwijsontwikkeling en Onderwijsresearch Universiteit Maastricht, Cetis Centrum voor onderwijs en ICT Hogeschool Utrecht, IVLOS Interfacultair Instituut voor lerarenopleiding Onderwijsontwikkeling en Studievaardigheden Universiteit Utrecht.

Hoe werkt jouw Pop? Lev'l: Landelijk Expertisenetwerk vraaggestuurd leren en werken, Postbus 70000, 7500 KB Enschede

Kuijpers, M., *Loopbaangerichte competenties.* 2003. Lezing Hogeschool Windesheim.

Landelijk project SPH-Competent, secretariaat A. Lorkeers - Hogeschool Windesheim Postbus 10090, 8000 GB Zwolle.

Lodewijks, J., 1993. *De kick van het kunnen:* over arrangementen engagement bij het leren. Inaugurele rede, Katholieke Universiteit Brabant, Tilburg, Mesoconsult.

Nedermeijer, J. en Pilot, A., 2000. *Beroepscompetenties en academische vorming in het onderwijs.* Wolters-Noordhoff.

Nota *Visie op competentiegericht en vraaggestuurd leren:* SPH Windesheim, 2002.

SPH Tijdschrift voor Sociaal Pedagogische Hulpverlening. BV Uitgeverij SWP, Amsterdam.

De Vries-Geervliet, L. 1993. *Voorbereiden op supervisie.* Uitgeverij Nelissen n.v. Baarn.